LA DERNIÈRE
TENTATION DU LYS

Jean-Marc Massie

LA DERNIÈRE
TENTATION DU LYS

Planète rebelle

Distribution :
Diffusion Prologue
1650, boul. Lionel-Bertrand
Boisbriand (Québec)
J7H 1N7
Téléphone : (450) 434-0306
Télécopieur : (450) 434-2627

Planète rebelle reçoit l'appui du Conseil des Arts du Canada et de la SODEC.

Mise en pages : Planète rebelle
Illustration de la couverture : Dominique Richard
Maquette de la couverture : Jean-Marc Massie
Impression : Marc Veilleux imprimeur

Dépôt légal : 1999
Bibliothèque nationale du Québec
Bibliothèque nationale du Canada
ISBN : 2-922528-07-3

L'auteur remercie le Conseil des Arts du Canada pour son soutien à la création.

Planète rebelle et Jean-Marc Massie
C. P. 983, Succ. C
Montréal (Québec)
H2L 4V2

Site web : www.PlaneteRebelle.qc.ca
Adresse électronique : courrier@planeterebelle.qc.ca

Table

I.   Cruise Away 15

II.   Le Poète Canapé 41

III.   Le Tatoueur 55

IV.   La Démembreuse 71

V.   La chevauchée homérique
des Mou-Mous en *skidoo* 87

VI.   L'identité retrouvée de l'Homme Perchaude 101

VII.   Réveillon entre suicidés 113

VIII. Homard, l'enfant martyr 125

Des extraits du présent récit ont déjà paru sous la forme de nouvelles et de performances orales :

Mutation aquatique, La vache enragée, anthologie n° 2, CD-livre (novembre 1998).

La Démembreuse, Stop Classique n° 155 (juillet-août-septembre 1998).

Perversion de l'impairversion, Estuaire n° 88 (septembre 1997).

Ce conte est dédié à ma fille Justine et à toutes celles qui ont fait don de leur matrice à l'Universalys.

Continuer. Car je tiens le roman qui me brûle intérieurement et par lequel je prendrai possession de mon pays ambigu, maudit et de ma propre existence [...] Continuer avec la volonté nette de faire baroque.

Hubert Aquin, *Trou de mémoire* (1968)

Avertissement aux lecteurs

*P*our éviter l'hypocrisie, on ne commencera pas en déclarant aux lecteurs que toute ressemblance... Le Pays Incertain et le Pays Artificiel font plus qu'évoquer respectivement le Québec et le Canada : ils les renferment et les révèlent. Ils les débordent aussi, car ils ne sont pas limités par l'histoire et par la géographie ; ils habitent la fiction qui jongle avec la mémoire et avec les frontières. Le Pays Incertain et le Pays Artificiel sont des contrées purement imaginaires, dont les habitants se permettent de jouer avec le temps et l'espace. Ces pays, qui ne figurent sur aucune carte, empiètent à l'occasion sur la réalité, provoquant ainsi l'incertitude du réel. Ils mêlent l'exactitude au rêve en une hallucination pointilleuse, fortement dépendante de l'univers mutagène du Lys et de ses puissants pollens d'acide. On chercherait en vain dans ce conte la description exacte d'un Québec schizophrénique ou d'un Canada paranoïaque. L'auteur n'a voulu que rendre, avec la plus grande exactitude possible, les images dont il était hanté. Ici, la somme des détails ne fait pas la réalité, elle ne produit que le sentiment du réel, c'est-à-dire une fiction. Le lecteur pourra toutefois y trouver sa propre vérité.

Cela dit, la présente édition de La dernière tentation du Lys n'est pas fidèle en tous points à la version remise par l'auteur à son éditeur. En cours d'impression, la prose et la poésie d'écrivains connus se sont parfois mêlées aux propos de certains des personnages du livre. Avant chaque chapitre, des fragments d'une encyclopédie inconnue ont aussi été insérés, on ne sait trop comment. Ni l'auteur, ni l'éditeur, ni les correcteurs, ni même l'imprimeur n'ont pu expliquer comment ces intertextes sont apparus sur la page blanche au moment du tirage final. À force de recherches et d'investigations, ils ont tout de même pu attribuer à Claude Gauvreau, Hubert Aquin, Gaston Miron, Josée Yvon et Denis Vanier la paternité de certains de ces intertextes. Pour les fragments de l'encyclopédie inconnue, les recherches piétinent toujours.

Qui croyait prendre a été pris. Les écrivains morts, vivants ou morts-vivants, ci-haut nommés, semblent avoir réagi contre celui qui, de manière aussi cavalière, s'était permis de fabuler sur leur pathos à travers une fiction où, à l'origine, on ne retrouvait aucun de leurs écrits. Selon toute vraisemblance, ces écrivains auraient pris possession de la parole des principaux protagonistes de La dernière tentation du Lys en leur insufflant des fragments de prose ou de poésie de leur cru. En s'alimentant à même l'imaginaire livresque, la fiction a bel et bien repris ses droits sur la fiction.

MUTATION AQUATIQUE : **mutation** n. f. (lat. *mutatio* de *mutare*, changer). BIOL. Apparition dans une lignée végétale, animale ou humaine de caractères héréditaires nouveaux, par suite d'un changement dans la structure des chromosomes. **Aquatique** [akwatik] adj. (lat. *aquaticus*). Où il y a de l'eau. Qui croît, qui vit dans de l'eau ou près de l'eau.

La dernière mutation sous-marine menant à la première mutation terrestre est la mère de toutes les permutations. Du poisson-nageur au poisson-marcheur en passant par le poisson-voleur, le trisomique aquatique est l'archétype du parfait petit mutant. Ni trop effrayant ni trop désolant, il s'intègre à son milieu d'adoption, sans friction. Il glisse entre les interstices de la moralité, afin d'expérimenter l'altérité sans menacer son intégration à la normalité. Tel le cheval de mer dont la mer est le lieu de repos et la terre le lieu de sa libido, lorsque l'odeur de la jument parvient à ses narines marines, le mutant aquatique chevauche les deux mondes au gré de ses envies.

Depuis l'ère de la grande pollution de l'estuaire, la mutation aquatique est devenue synonyme de régression organique. Brochet monoculaire, crapet sans filet, truite arc-en-ciel monochrome, doré argenté, achigan sans bouche, barbote sans moustache, maskinongé édenté et ouananiche sans niche hantent désormais le fleuve Saint-Rampant. Le mercure a contaminé la verdure, qui a transformé l'eau douce en eau dure, qui, à son tour, a permis l'improbable souillure fluviale. Seule la Perchaude Anthropophile s'en est tirée indemne, du moins du point de vue physiologique. En ce qui concerne son orientation sexuelle, on a toutefois remarqué qu'elle avait récemment développé de fortes tendances anthropophiles la rapprochant des ichthyocentaures, ces centaures-poissons, hommes au-dessus de la ceinture et poissons au-dessous, dont les pattes antérieures sont celles d'un cheval.

En effet, les cas de sévices sexuels de la Perchaude Anthropophile sur des êtres humains augmentent d'année en année. Et cela, sans laisser de traces, puisque son rituel déviant se termine inévitablement par la mise à mort de la victime donnée en pâture à l'autre forme de mutation aquatique qu'incarne l'Esturgeon à grandes dents. Ce dernier ne laissant jamais de restes au fond marin, voilà pourquoi on n'a pu obtenir jusqu'à maintenant de preuves tangibles des agissements criminels de la Perchaude Anthropophile. Mais il n'est pas dit qu'un jour l'être humain ne triomphera pas de cette dernière, pour enfin pouvoir revenir respirer le grand air. Ce jour-là, la face du monde terrestre risque d'en être changée à jamais.

I. Cruise Away

Le Lys s'ouvre devant vous et laisse sortir de son calice un pollen d'acide qui dessine dans le vide l'arbre généalogique du dernier mutant anémique, l'Homme Perchaude. Sur une branche, vous y voyez ses parents légitimes, la Démembreuse et le Boucher, assis, la langue pendante et les membres atrophiés par l'inaction. La Démembreuse désespère de voir un jour le Boucher se relever et marcher le torse bombé de fiertés assumées, tandis que ce dernier n'y croit plus, convaincu de l'inutilité de toute action, puisque les dés sont déjà pipés. Plus loin, agenouillé sur une feuille d'érable, se trouve le Tatoueur, riant à gorge déployée du tatouage représentant l'Homme Perchaude qu'il s'est gravé au couteau sur le ventre. À regarder de plus près les plis d'expression tracés au couteau sur le front de la Démembreuse, vous devinez une enfance malheureuse ponctuée d'amours sans retour. Vous vous doutez bien que, entre le Tatoueur et le Boucher, le cœur de la Démembreuse balance. Grâce au Boucher, elle sait manier le couteau et la paire de pince-monseigneur de manière à démembrer le Tatoueur en période de crise, mais c'est avec ce dernier, pensez-vous, qu'elle trouve l'extase entre deux phases dépressives. En fait, vous comprenez à l'instant que l'Homme Perchaude est le produit aléatoire de ce triangle amoureux, de même que sa sœur Morgane qu'il n'a jamais connue… en tant que sœur. Il l'a rencontrée pour la première fois à la Calèche du Sexe, où elle dansait sous le pseudonyme de Salomé. Jamais il ne s'est douté un instant qu'ils étaient frère et sœur. Sachez que tous deux ont la même mère. Mais pour ce qui est du père, cela est une autre histoire…

Afin que le pollen d'acide vous en révèle davantage, éteignez la télé et l'ordinateur, débranchez le téléphone et le télécopieur, et laissez-moi vous faire entrer de plain-pied dans l'univers mutagène du Lys.

*   *   *

Tout comme leurs ancêtres les barbotes l'avaient fait avant eux en 1837-1838 (au moment de la première tentation du Lys), les citoyen incertains venaient de résister en ce printemps de l'an de grâce 1980 à la deuxième tentation du Lys. Cette année-là, Ti-Poil (premier ministre incertain) avait tenté avec, entre autres, l'aide de Jacques Le Grand Bourbon (ministre incertain des Finances), de vaincre une fois pour toutes le caractère indéfini de son pays en tenant un déférendum sur la question ambiguë des rapports virtuels entre le Pays Incertain et le Pays Artificiel. Jouant sur la schizophrénie culturelle et l'incertitude existentielle des citoyens incertains et bénéficiant notamment de l'appui indéfectible de Néant Éolien (ministre artificiel des Finances), Trou-Trou (premier ministre du Pays Artificiel) était arrivé à les tenir à un tel degré d'incertitude inanitaire que le déférendum se termina par l'amère défaite de Ti-Poil et des indéférentistes. Quelques années plus tard, Ti-Poil mourait, lâché par ses propres collaborateurs, alors que Trou-Trou continuait paisiblement à dénigrer le Pays Incertain. Il y eut bien une troisième tentation du Lys avec le déférendum de 1995, opposant Jacques Le Grand Bourbon et Néant Éolien, devenus entre-temps premiers ministres de leurs pays respectifs, mais il serait ici redondant d'en parler, puisque l'Histoire suivit presque en tous points le déroulement du premier déférendum, bien que le résultat fût plus serré. L'histoire de l'Homme Perchaude s'était, elle aussi, répétée avec quinze années d'écart. Les deux fois où avaient été annoncés à la télé et à la radio les résultats du déférendum, il s'était retrouvé à la Calèche du Sexe avec Salomé, la reine du grand écart, à l'exception notable que, la dernière fois, tous deux avaient été tentés par un corps à corps beaucoup plus corsé. Mais commençons par le commencement.

Le 20 mai 1980, l'Homme Perchaude (qui s'appelait encore à l'époque Tnatum), revenait de la Calèche du Sexe, bar *topless* situé rue Sainte-Latrine — non loin du pavillon Cruise Away de l'Université du Pays Incertain à Montrivial, communément appelée l'université du PIM —, et dont les habitués aimaient à dire qu'il était l'ancêtre du premier département de sexologie de l'université. Tnatum y passa toute la soirée à attendre les résultats du vote déférendaire, pendant que quelques danseuses « cokées » simulaient l'extase. À l'annonce de la défaite des indéférentistes, Salomé consola Tnatum en lui exécutant le strip-tease le plus *borderline* de sa carrière, tout en lui caressant des seins sa chevelure *blue-black*.

Fille de la Démembreuse et donnée à la naissance à l'assistance publique, alors que Tnatum n'avait que trois ans, Salomé n'avait jamais plus revu sa famille, errant de foyer d'adoption en foyer de correction pour finalement finir au pied d'un *pim*, angle Saint-Rampant et Sainte-Latrine. Jusqu'à ce jour où elle dansa, sans le savoir, pour son frère Tnatum. Gêné par une telle prestation, ne sachant trop pourquoi, ce dernier s'enfouit la tête à l'intérieur du collet roulé bleu jovial qu'il portait en permanence, indépendamment des saisons. Déjà, Salomé était tombée sous le charme de son client. Ne se doutant pas un moment de leur lien de parenté, elle lui offrit de venir la rejoindre dans sa cabine. En buvant leur Bleue Dry, ils discutèrent sans forniquer, puis s'endormirent dans les bras l'un de l'autre. Le patron de la Calèche du Sexe mit fin au doux sommeil des deux tourtereaux en jetant Tnatum à la porte et en obligeant Salomé à monter sur la scène circulaire, pour refaire une millième fois le grand écart sur son tapis en minou. Armée de ses seins en silicone, de ses cuisses liposuccionées et de son derrière tatoué d'un papillon ouvrant ses ailes sur chacune de ses fesses, le pubis rasé et les cheveux « bleachés » contrastant avec ses verres de contact vert fluo et ses longs ongles noirs, Salomé s'exécuta, entrant sur scène les yeux mouillés d'ivresse et le clitoris percé d'un anneau brûlant. Ce soir-là, elle réussit une danse gothique du plus grand kitsch qui lui valut une ovation debout, alors que Tnatum errait dans les rues de Montrivial.

À quatre heures du matin, l'air défait et complètement saoul, Tnatum essaya tant bien que mal d'escalader le vieil escalier menant au logis familial situé dans le quartier Chosemont. Au bout d'une heure, il arriva à atteindre la poignée de porte du logis. Mal lui en prit. Sa mère la Démembreuse, une dame adipeuse à la pilosité développée et cigarette au bec, lui ouvrit, l'engueula comme du poisson pourri et lui assena comme dernier argument un violent coup de pince-monseigneur sur la tête. Elle ne pouvait supporter de voir son fils traîner à la Calèche du Sexe, comme son mari le Boucher et son ex-amant le Tatoueur l'avaient fait avant lui. Elle espérait mieux pour l'avenir de son fils, d'autant plus qu'elle connaissait de réputation la danseuse Salomé qui sévissait à la Calèche. Les femmes de Chosemont s'entendaient pour dire que, à elle seule, Salomé avait probablement eu plus d'un millier d'amants, dont les trois quarts auraient été des Chosemontais. Soucieuse des qu'en-dira-t-on, la Démembreuse était prête à renier son propre fils, si tel était le prix à payer pour préserver le peu de respectabilité qui leur restait, à elle et à sa famille.

Pendant que le Boucher, étonné par les scrupules de sa femme, qui en avait pourtant vu d'autres, suppliait la Démembreuse de ne pas tant s'acharner sur son fils,

Tnatum déboula cul par-dessus tête les marches une à une. Au même moment, la portière arrière d'un taxi s'ouvrit, laissa sortir un couple « d'alcoolos » et fit entrer incognito Tnatum. Le chauffeur n'y vit que du feu et poursuivit sa route jusqu'au Vieux-Port de Montrivial, où l'attendait une junkie au cul papillonné qui, pour une dose d'héroïne, devait lui faire la pipe du siècle.

À six heures du matin, Tnatum se réveilla plein d'ecchymoses et la gueule salement amochée, tout en entendant à l'avant de la voiture un bruit de succion qui n'était pas sans lui rappeler l'environnement sonore de la cabine privée de Salomé à la Calèche du Sexe. S'apercevant finalement de la présence du voyeur, le chauffeur l'envoya rouler à grands coups de pied au derrière jusqu'au fond du fleuve Saint-Rampant. Tnatum y passa une heure sans remonter à la surface, essayant désespérément d'oublier l'image de Salomé déglutissant la semence du chauffeur de taxi.

Pendant cette heure inhumaine, Tnatum se faufila avec aisance entre les ordures sous-marines. Puis ce fut le choc mutagène. Il croisa le regard de la Perchaude Anthropophile à la panse invitante et à l'écaille dilatée. Celle-ci lui fit une danse du ventre qui le laissa pantois et enchaîna avec un prélude aquatique, dont la conclusion est demeurée jusqu'à maintenant indescriptible. Puis la minute de vérité sonna. La Perchaude ouvrit sa panse parsemée de taches orangées et laissa s'écouler un liquide blanchâtre qui excita Tnatum au point de lui faire perdre toute retenue. La suite fut un enchaînement d'abus fluviaux, allant du bouche-à-bouche au soixante-neuf sous-marin en passant par la branlette marinière.

Mais une fois l'acte consommé, et contrairement à son habitude, la Perchaude Anthropophile ne put se résoudre à laisser l'Esturgeon à grandes dents dévorer un amant d'une telle vigueur. Jusqu'au petit matin, elle se battit donc contre l'Esturgeon affamé afin de faire diversion, pendant que le courant marin ramenait Tnatum sur la terre ferme. En s'efforçant de combler l'insatiable appétit sexuel de la Perchaude Anthropophile, Tnatum venait de la battre à son propre jeu et évitait ainsi de voir sa vie se terminer dans la panse de l'Esturgeon à grandes dents.

À huit heures du matin, Tnatum ouvrit l'œil sur la berge du fleuve. À demi inconscient, il vit son prénom, brodé sur sa casquette des Ex-pros, se réfléchir sur les eaux du Saint-Rampant. Ce fut la révélation. Il s'aperçut, après toutes ces années, qu'en inversant les lettres de son prénom, on obtenait le mot « mutant ». Il ne cessa alors de ressasser les événements marquants de sa vie à la lumière de sa dernière trouvaille. Il repensa à tous les Vendredis saints où il s'était refusé à manger du poisson. Pour le punir, chaque fois, la Démembreuse lui plongeait la tête dans l'aquarium familial, sans jamais arriver à l'étouffer. Il se rappela aussi la fois que, en visite à l'aquarium municipal de Montrivial, il avait fracassé toutes les parois de verre afin de libérer les pauvres créatures sous-marines s'y trouvant. Non, vraiment, tout cela ne pouvait être un hasard. Son être intime avait probablement toujours été marqué du sceau de la mutation aquatique, la preuve étant que la Perchaude Anthropophile lui avait laissé la vie sauve en le défendant contre l'Esturgeon à grandes dents.

En ce matin du 21 mai 1980, l'Homme Perchaude naquit, bien décidé à n'entretenir qu'une relation platonique avec Salomé. L'image de cette dernière, agenouillée entre les cuisses du chauffeur de taxi, l'avait mis en garde.

À partir de cette date, Tnatum se fit appeler l'Homme Perchaude. Dès lors, toujours vêtu de son collet roulé légendaire, il n'eut de cesse de ratisser toute l'île de Montrivial à la recherche de tribunes pour exprimer ses craintes quant à l'avenir des citoyens du Pays Incertain. Durant les cinq premières années de sa conversion aquatique, on put l'entendre durant les tribunes libres des radios AM élaborer les plans les plus incroyables, afin de rendre son pays indé-férent. Il parla, entre autres, de creuser autour du Pays Incertain une immense tranchée remplie d'eau, dans laquelle on jetterait la Perchaude Anthropophile et l'Esturgeon à grandes dents, dressés pour s'attaquer aux policiers de la PAPA (la Police Atonale du Pays Artificiel). Il suggéra aussi de monter un commando hystérique spécial chargé de déchirer à mains nues la toile du Stade Anémique, de manière à ce que celle-ci, une fois levée, forme dans le ciel de Montrivial la silhouette du Chevalier de l'Échafaud, mort au bout d'une corde pour le salut incertain de son pays. Ainsi pensait-il rappeler à la nouvelle génération incer-taine la mémoire d'un des martyrs de la rébellion des barbotes de 1837-1838.

Dans un élan d'optimisme, il alla même jusqu'à proposer, dans l'éventualité où l'indéférence deviendrait réalité grâce aux efforts des poissons-mutants, de nationa-liser tous les restaurants Mc Banal du Pays Incertain. Une fois ceux-ci nationalisés, et à l'achat d'un Big Banal, le client aurait droit à une pièce de monnaie incertaine frappée à l'effigie de l'Esturgeon à grandes dents d'un côté et de la Perchaude Anthropophile de l'autre, afin de commémorer leurs glorieux combats contre la PAPA.

Las de voir ses propos ridiculisés en ondes par les autres intervenants, de 1985 à 1995, il passa à l'action en se cantonnant dans la clandestinité. Le tremblement de terre dans la région de Bébec, c'était lui ; la crise des atokas à Kanasatake, encore lui ; l'échec du lac *cheap*, toujours lui ; la tornade et les inondations du Haut-Pauvrelieu, toujours et encore lui ; ce qui était perçu comme des catastrophes naturelles par les analystes du Pays Incertain et du Pays Artificiel n'étaient en réalité que des catastrophes artificiel-lement conçues par l'Homme Perchaude et la Perchaude Anthropophile dans les eaux du Vieux-Port de Montrivial. Durant ces sept années, l'Homme Perchaude et sa complice aquatique furent à l'origine de toutes les catastrophes s'abattant sur le Pays Incertain. Par la catastrophe, l'Homme Perchaude cherchait, en fait, à déstabiliser le citoyen du Pays Incertain, de manière à lui démontrer la précarité de sa sécurité et de son confort. Il espérait ainsi provoquer une solidarité irréversible qui jouerait en faveur de l'indéférence du Pays Incertain.

Bien qu'une nouvelle solidarité entre les citoyens du Pays Incertain vît le jour durant cette période de catastrophes, l'Homme Perchaude dut se rendre à l'évidence : la PAPA était parvenue à annuler les effets positifs de cette solidarité. En effet, la PAPA était souvent intervenue avec succès lorsque la catastrophe était plus puissante que les moyens mis en place par les dirigeants du Pays Incertain pour la maîtriser. Fier de l'efficacité de sa police, le gouvernement du Pays Artificiel ne s'était pas embarrassé de scrupules pour faire savoir aux victimes, par le biais de Télé-Artifice et de Radio-Artifice, que le Pays Incertain ne pouvait pas se passer du Pays Artificiel, sous peine de se voir effacé de la carte dès la prochaine catastrophe.

Ne voulant pas se laisser démonter par une telle ruse, l'Homme Perchaude décida de frapper un grand coup en démontrant aux citoyens du Pays Incertain la vulnérabilité de la PAPA. Armé du Lys et d'un appareil photo, il parvint à franchir les barrières de sécurité entourant la demeure de Néant Éolien (premier ministre du Pays Incertain), pour s'introduire dans la chambre de celui-ci et déposer entre les seins de sa femme endormie la fleur ennemie du Pays Artificiel. Le lendemain de son exploit, les citoyens incertains purent voir, en première page du quotidien *L'Espoir*, la photo compromettant l'infaillibilité de la PAPA et ridiculisant le couple artificiel. Profitant de la vague indéférentiste provoquée par l'exploit de l'Homme Perchaude, Jacques Le Grand Bourbon (premier ministre du Pays Incertain, toujours inféodé au Pays Artificiel) déclencha une deuxième campagne indéférendaire. Satisfait de la tournure des événements, l'Homme Perchaude cessa alors ses activités subversives avant que la PAPA ne le démasque.

Du début de la campagne indéférendaire jusqu'à sa fin, l'Homme Perchaude sortit de la clandestinité, ne se mêla plus de politique et commença à participer à des groupes de discussion sur les nouveaux rapports homme-femme, de manière à brouiller les pistes, mais aussi dans l'espoir de trouver l'âme sœur. Ses interventions, plutôt délirantes, eurent le don de faire rire les participants, ce qui fit de lui l'une des personnes les plus sollicitées par les médias à l'occasion de reportages sur le sujet. Durant l'un de ses passages à Télé-Incertitude, il fit la rencontre de celle qu'il allait affectueusement surnommer la Thérapeute... sa thérapeute.

Fille d'une infirmière et de son psychanalyste, cette dernière avait passé l'adolescence à écouter les jérémiades existentielles de ses amants *borderlines*, tout en les approvisionnant en drogues de toutes sortes, aidée en cela par la pharmacie de maman. Un jour, elle fut grièvement blessée au cœur par l'un de ses amants récalcitrants en plein *cold turkey*. À la suite de cet incident, son père lui interdit de jouer à l'apprentie psychologue avec ses petits amis, tandis que sa mère lui expliqua en long et en large le syndrome de l'infirmière. À trop s'occuper des bleus à l'âme de l'être aimé, lui disait-elle, l'aimante-soignante finit par être associée à son passé névrosé. Une fois remis sur pied, l'être aimé n'a plus d'autres choix que d'éliminer tout ce qui l'attache encore à sa névrose passée, l'aimante-soignante y compris.

Dans la jeune vingtaine et sous la pression familiale, la Thérapeute se maria donc avec un jeune banlieusard, bien sous tous rapports. Il ne buvait pas, ne fumait pas, ne se droguait pas, n'était pas indéférentiste, avait la sécurité d'emploi, était mentalement en accord avec le retour de la droite au pouvoir et ses parents allaient bientôt fêter leur trente-cinquième anniversaire de mariage. En un mot, c'était l'ennui total. La Thérapeute endura cela durant près de cinq ans en névrosant à son tour sous le regard condescendant et l'écoute bienveillante de son mari, tout en profitant de ses nombreux temps libres pour parfaire sa culture et son érudition à la bibliothèque municipale de la banlieue de Saint-Ampère.

Une fois rétablie, la tête emplie de savoir livresque, elle avait divorcé. C'est après son divorce qu'elle rencontra l'Homme Perchaude, par une nuit pluvieuse du printemps 1995, alors qu'ils participaient tous deux à une émission-débat sur les nouveaux rapports homme-femme à Télé-Incertitude. Séduite par son discours d'écorché vif décrivant, entre autres, tous les sévices que la Démembreuse lui avait fait subir durant son enfance, elle retrouva en lui tout le charme des amants *borderlines* de son adolescence. Cette première rencontre fut le début d'une relation houleuse, où les élans d'amour et de haine se succédèrent à intervalles toujours plus rapprochés. L'attention sans bornes que la Thérapeute avait accordée à l'Homme Perchaude pendant la campagne déférendaire avait permis à ce dernier d'éviter à plusieurs reprises l'internement psychiatrique. En retour, l'Homme Perchaude la désennuyait avec ses frasques de jeune délinquant délirant.

Malheureusement, tout bascula le 30 octobre 1995 au moment du deuxième échec des indéférentistes. Encore une fois, bien entouré à la Calèche du Sexe, l'Homme Perchaude assista à une défaite crève-cœur et, de nouveau, Salomé se surpassa pour atténuer sa peine, non sans tenter par la même occasion de le séduire. Cette fois-ci, elle ne se contenta pas de danser autour de lui en lui susurrant des mots doux. Lasse d'être confinée au rôle de confidente depuis l'arrivée de la Thérapeute, elle lui fit la totale. Une fois isolée dans la cabine avec le mutant dépressif, ses longs ongles noirs prêts à lui pénétrer la boîte crânienne, elle lui fourra dans la bouche son anneau clitoridien chauffé à blanc, tout en lui défonçant l'anus au moyen d'un cylindre argenté dont l'une des extrémités était surmontée d'une tête de pigeon en acier trempé. Elle conclut leur première nuit d'amour en l'emmenant chez elle. Dans son appartement de la rue De Bouffon, là où jamais un client de la Calèche du Sexe n'avait pénétré, elle lui fit une fellation la bouche pleine de verre concassé, pendant qu'elle s'agitait le sexe sur l'ongle désincarné du gros orteil de l'amant aquatique. Épuisé, celui-ci s'endormit enfin, la langue calcinée et le sexe meurtri, sous le regard satisfait de la danseuse gothique.

Toutefois, malgré les prouesses de Salomé et les soins de la Thérapeute, l'Homme Perchaude ne se remit jamais complètement de la dernière défaite. Il se mit à souffrir de narcolepsie aiguë, dont les crises se manifestaient par de violents évanouissements ou de subites pertes de conscience chaque fois qu'il était la proie d'un choc émotif. Afin d'atténuer les symptômes, la Thérapeute décida de s'exiler à l'autre bout du monde en compagnie de son conjoint. Ainsi, elle ferait d'une pierre deux coups : loin de Montrivial, l'Homme Perchaude retrouverait le moral et passerait beaucoup de temps avec elle, Salomé n'étant plus là pour le détourner de ses devoirs conjugaux.

* * *

Basse-ville de Bébec, le 30 octobre 1996. Comme tous les mois depuis déjà un an, l'Homme Perchaude revenait de sa visite mensuelle à Montrivial. Au moment où il éteignit le moteur de sa voiture et réintégra le domicile conjugal, la vieille rumeur urbaine se remit en marche. Certains désespéraient de le voir aller tout droit vers un suicide social, alors que d'autres, plus honnêtes, appréhendaient les conséquences déplaisantes de ses dérapages sur leur propre vie.

Mais les uns comme les autres en avaient fait l'incarnation moderne du diable.

Pourtant, en cet instant, inerte dans son fauteuil, un verre de vin à la main et se reposant de son retour de Montrivial, l'Homme Perchaude avait l'air de tout sauf d'une torche humaine brûlant la vie par les deux bouts. La rumeur urbaine résonnait encore dans sa tête et il avait peine à s'imaginer affublé d'une paire de cornes et d'une queue fourchue.

Sage comme une image, il prépara le souper pour la Thérapeute et avala un Décontractyl, de peur de perdre l'état de grâce. Avec un peu de chance, il serait de bonne compagnie jusqu'à minuit. Mauvais calcul. L'alchimie du Décontractyl et du vin rouge provoquèrent un tel flot d'hallucinations qu'il ne put communiquer normalement avec la Thérapeute. Cantonnée encore une fois dans son rôle d'infirmière, celle-ci pratiqua, sans broncher, l'écoute passive.

Pendant le repas, des images allumettes surgirent dans l'assiette de l'Homme Perchaude. Puis des plans séquences se mirent à défiler, surexposant les instants clés de sa dernière fuite : une antiquité japonaise, les vitres fumées et le pare-chocs en feu, roulait tranquillement sur l'autoroute en direction de Montrivial ; au creux d'une fiole de GHB, une jeune fille, la peau tatouée de papillons baroques et traversée de barbelés gothiques, s'humectait la poitrine de Bleue Dry, tout en se masturbant nonchalamment devant un attroupement de banlieusards ; à l'entrée de la Bibliothèque nationale, on faisait la queue dans l'espoir de toucher au troisième œil de Jacques Le Grand Bourbon ; une croix de métal plaquait ce dernier au pied du mont Jovial, tandis que la danseuse gothique lui rasait le pubis.

Le repas et les hallucinations terminés, la Thérapeute coucha dans son lit l'Homme Perchaude déjà endormi, de manière à ce qu'il ne pût bouger pendant son sommeil. À le voir ainsi bordé, on aurait juré qu'il portait une camisole de force faite sur mesure pour son torse aquatique et prête à le maintenir en contention au cas où il se rappellerait les mauvais traitements infligés par la Démembreuse durant son enfance. L'Homme Perchaude entama sa nuit sous le regard bienveillant de la Thérapeute. Allongée à ses côtés, celle-ci prit la décision de ne pas s'enfoncer davantage dans le syndrome de l'infirmière et quitta le lit conjugal pour un *after hour* de la Basse-Ville de Bébec. Elle y resta jusqu'à l'aube à siroter un porto, entourée de Bébécois en chaleurs, puis repassa par l'appartement pour se changer avant d'aller travailler au centre communautaire du quartier.

En après-midi, le réveil fut brutal pour l'Homme Perchaude qui se retrouvait seul sans la Thérapeute. Le corps rigide, le tronc à quatre-vingt-dix degrés, il resta bouche bée. La porte de la chambre à coucher était défoncée à plusieurs endroits, les armoires de cuisine étaient vides, alors que le plancher du salon était jonché de nourriture et de vaisselle cassée. La salle de bains transpirait l'odeur poivrée du sauna après l'orgie. De toute évidence, le comprimé n'avait pas eu l'effet prolongé escompté. Quel avait été son dernier flash avant le black-out ? Était-ce le papillon baroque ou la croix de métal ? Il ne savait plus très bien. Une chose était sûre, il était seul dans son lit, incapable de se déprendre de sa position fœtale. Il avait beau crier à s'en péter les cordes vocales, aucun son ne sortait de sa gorge. Soudain, il sentit deux mains derrière sa tête. Tandis que l'une lui caressait tendrement la nuque, l'autre lui arracha d'un coup sec une poignée de cheveux. Enfin, son cri se fit entendre. Puis, exténué par l'hystérie de son organe, il retomba dans le demi-sommeil propre au narcomane.

Dans son rêve, un coureur des bois sous influence, les cheveux bruns et de taille moyenne, s'avança, le prit par la main et le guida vers un canot d'écorce synthétique. Ils remontèrent ensemble le Pauvrelieu. Plus ils approchaient du village de Saint-Dépit et plus le coureur des bois devenait fébrile. À quelques coups de pagaie du village, ce dernier, un œil bleu et l'autre rouge, tomba en transe et se mit à transpercer le fond de l'embarcation avec un énorme stylo Bic. Les gens avachis au bord de la rivière ne paraissaient pas surpris, comme s'ils étaient habitués au manège de l'énergumène. Évidemment, notre duo coula. Rien à faire pour rejoindre la berge, le courant étant trop fort. Ils se laissèrent donc emporter par celui-ci, l'Homme Perchaude soutenant de peine et de misère son pagayeur kamikaze. Au cours de leur dérive, le visage tiré par l'abus de psychotropes de toutes sortes, le coureur des bois commença à délirer sous le regard consterné de l'Homme Perchaude.

— *La rébellion de 1837-1838*, première vraie tentation du Lys en date, *est la preuve irréfutable que les* citoyens incertains *sont capables de tout, même de fomenter leur propre* sodominie....

— Si tu t'la fermes pas, c'est ta propre sodominie que j'vais fomenter. J'ai juste à t'laisser couler avec tes belles paroles. Sacramant, tu vas pas r'commencer !

— *On se croirait à la représentation d'une tragédie classique, à l'instant où le chœur, instantanément et dans une invraisemblable simultanéité, a un* trou *de mémoire... comment tant d'hommes, au même moment, peuvent-ils oublier leur texte ?*

— Arrête de gaspiller ta salive ! Tout ce que j'veux, c'est ton silence pour te sauver d'la noyade au plus criss. C'pas compliqué, ça. Astie, tu vas pas r'commencer !

— *À moins que... oui : à moins qu'il ne s'agisse pas d'un* trou *de mémoire ? Le chœur ne peut pas continuer parce que les autres acteurs n'ont pas dit les paroles qu'ils devaient dire [...] les* barbotes *n'ont pas eu un* trou *de mémoire à Saint-Dépit, mais elles étaient bouleversées par un événement qui n'étaient pas dans le texte : leur victoire !*

— Ferme ta gueule ! Je suis à bout d'force. J'y arriverai pas. Calvaire, on va quand même pas s'laisser couler ! Tu veux vraiment mourir noyé au fond du Pauvrelieu avec ton histoire déprimante ?

— *[...] conditionnées* à être sodominées *comme d'autres le sont au suicide parce qu'ils ont de l'honneur, les* barbotes *ont été soudainement obligées de survivre sans honneur, sans style et sans même l'espoir d'en finir un jour [...] .*

— On coule, pis t'as l'air de trouver ça l'fun, ben l'fun. Tant qu'à faire, shoote-moé donc une autre sodominie.

— *[...] certains peuples vénèrent une* barbote *inconnue ; nous, nous n'avons pas le choix : c'est une* barbote sodominée *et célèbre que nous vénérons, une combattante dont la tristesse incroyable continue d'opérer en nous, comme une force d'inertie.*

— Le trip total. T'as pas remarqué, on a coulé à la hauteur du Marachois, croisement entre le Suceur Cuivré et la Perchaude Anthropophile, et seul poisson-mutant du monde à nager par en arrière pour ne pas avoir d'eau dans les yeux…

Deuxième *pavor incubus* de la journée. À nouveau, l'Homme Perchaude se réveilla brusquement. L'appartement était toujours dans le même état ; cette fois-ci, l'Homme Perchaude décida toutefois de se lever. Les succubes devraient attendre ; il n'avait pas envie de couler encore à la hauteur du Marachois. Deux réveils brutaux par jour lui suffisaient. Un joint à la main, il fit jouer *The Needle and the Damage Done* de Neil Young. Puis il alla ouvrir la fenêtre de la salle de bains. À sa grande surprise, le coureur des bois flottait au-dessus de la baignoire, la bave au bord des lèvres ! L'Homme Perchaude ferma les yeux, prit une bonne respiration et décida de penser au menu de son petit déjeuner. Rien à faire, le coureur des bois flottait toujours ! L'Homme Perchaude pensa qu'il devait être un itinérant ramené par la Thérapeute la veille, pendant qu'il dormait. Il avait probablement trop bu et il était resté à coucher dans trois pieds d'eau. L'Homme Perchaude se pencha finalement au-dessus du corps pour entendre sa respiration. Soudainement, il se retrouva renversé sous l'eau. Le corps flottait toujours… au-dessus du sien. À la limite de la noyade, il entendit sourdement le coureur des bois lui répéter en boucle : *Je suis une* barbote sodominée *qui marche en désordre dans les rues qui passent en dessous de notre couche, je suis une* barbote…

À cours d'oxygène et ne voulant pour rien au monde crever le ventre vide, enserré dans son collet roulé détrempé, il s'échappa de la baignoire et courut à la cuisine.

Finalement, l'Homme Perchaude déjeuna en tête à tête avec le coureur des bois, qui lui faisait penser à Boudu-sauvé-des-eaux. À table, ce dernier se comportait comme le Christ de la dernière scène. Drapé d'une serviette éponge Wabasso, les cheveux plaqués vers l'arrière, un œil rouge et l'autre bleu, il parlait de manière calme et posée. Après chaque bouchée de Frootloops, systématiquement, il fixait l'Homme Perchaude droit dans les yeux, faisait son laïus et finissait inlassablement par ponctuer son discours d'une gorgée d'un étrange mélange de jus de canneberge et de vin chilien. Plus le repas avançait et moins l'Homme Perchaude s'interrogeait sur la présence à sa table de ce Christ schizo-phrène à la peau encore fripée par l'eau.

Notre coureur des bois continuait à parler sans arrêt de tout et de rien, d'hivers trop longs, de printemps retarda-taires, d'élections de bouffons, de vagins grabataires, d'avor-tons avortés, de piscines vaselines, de supermarchés zébrés de lumière bleutée, de ses maîtresses névrosées d'oxyde de carbone, de sa fille obsédée de cuillères cuivrées, de ses altesses « overdosées » de tablettes de magnésium, de cada-vres encombrants, de représentants déshonorants, de sodo-micides implicites, d'anthracites explicites, de disparitions annoncées, d'extinctions mutagènes, de parcours halogènes, de scatophilie télévisuelle... L'Homme Perchaude était moins fasciné par le contenu que par le contenant. Sa rythmique le captivait, elle ne correspondait à aucune règle rhétorique connue. Et pourtant, une constante se dégageait de toute cette logorrhée : le télescopage aussi rapide qu'inattendu de phases maniaques et de phases dépressives. Son invité improvisé lui donnait l'impression paradoxale d'être simultanément en surdose de coke et d'héro.

De digression en digression, le rythme extrêmement lent de sa parole finit par s'estomper. À un moment, l'Homme Perchaude arriva à peine à déchiffrer le flot de syllabes qu'il prononçait à une cadence toujours plus rapide. On eût dit une bande magnétique tournant en accéléré. Tout en continuant à discourir à la vitesse de l'éclair, le coureur des bois lui fit comprendre, à force de gesticulations désespérées, qu'il devait impérativement garder la trace de ses propos. L'Homme Perchaude l'enregistra à l'aide de sa radiocassette. Cela eut l'air de calmer son invité. Mais, progressivement, ce dernier perdit à nouveau son calme et gagna en fébrilité. Il parla et parla, et parla, et l'Homme Perchaude l'écouta sans broncher, complètement tétanisé par l'intensité désaxée de son verbe-lumière.

Chaque phrase était dite avec la conviction qu'il en était à son dernier souffle. L'Homme Perchaude appréhendait le pire. Soudain, le visage de son interlocuteur passa du rouge écarlate au mauve violacé pour finalement se fixer au spectre du bleu jovial. Pris de panique, l'Homme Perchaude chercha à le tranquilliser. Malgré son état d'étouffement avancé, le coureur des bois souriait béatement. Le regard fixé au miroir de la porte de la cuisine, il contemplait son visage bleuissant à vue d'œil. Puis, en pleine crise, il demanda aimablement à l'Homme Perchaude de lui préparer un cocktail de pilules, afin d'éviter d'y passer. Le ton sur lequel il le lui demanda ne laissa aucun doute. Il était sûr que l'Homme Perchaude possédait sa propre pharmacopée.

Le coureur des bois semblait bien connaître la période de sa vie antérieure à la rencontre avec la Perchaude Anthropophile, période au cours de laquelle l'Homme Perchaude avait tenté simultanément d'oublier son enfance démembrée et de doter le Pays Incertain d'un destin plus glorieux. Pour se donner du courage dans son entreprise, l'Homme Perchaude avait consommé tout ce qui était susceptible de le tenir en alerte. De la pseudonéphrine au popper en passant par le crack, il n'avait reculé devant aucun mélange, espérant ainsi trouver la recette magique qui lui permettrait à la fois d'oublier ses traumatismes de jeunesse et de redonner un peu de tonus aux citoyens incertains. Las de faire du surplace, il avait fini par essayer plusieurs types de calmants. Du sirop Benylin aux différents types de somnifères sans oublier l'alcool de bois, l'Homme Perchaude s'était retrouvé dans la rue, fixé à l'état larvaire de l'amibe. Vu son extrême pauvreté, il avait dû se constituer une intéressante pharmacopée mélangeant les vapeurs urbaines aux déchets hospitaliers. Et cela, le coureur des bois le savait.

Chaque seconde rapprochant le coureur des bois de sa dernière heure, l'Homme Perchaude élabora machinalement en un temps record un cocktail antianxiogène de 2 mg de lorazépam panaché de 3 mg de Troxen. À peine le coureur des bois eut-il avalé ce savant mélange qu'il se sentit déjà mieux. Remis de son « hyperverbalité », il montra à son hôte une molaire infectée jusqu'au nerf qui le faisait terriblement souffrir. Se sentant évalué sur sa pharmacopée, l'Homme Perchaude s'empressa de lui obstruer la cavité avec un cachet d'acétaminophène écrasé et lui fit prendre 60 mg d'Exdol, un antidouleur à base de codéine. Le coureur des bois portant la main à l'abdomen, il lui fourra aussitôt dans la gueule 10 mg de cisapride pour contrer d'éventuels problèmes de motricité stomacale, 300 mg de ranitidine afin de soigner un possible ulcère duodénal, deux comprimés à mâcher de Gaviscon pour protéger sa muqueuse œso-gastrique de probables reflux gastro-œsophagiens, 10 mg de métoclopramide contre la nausée et deux comprimés d'imodium contre la diarrhée. Au bout d'une demi-heure, son patient lui fit un clin œil. Le diagnostic avait été bon. Pour finir son ordonnance improvisée, l'Homme Perchaude l'envoya au lit avec une puissante dose de somnifères, 15 mg de zopiclone.

Pendant le sommeil forcé de son visiteur, il fouilla son sac à dos et n'y trouva qu'un petit morceau de papier d'aluminium sur lequel avait été brûlée la phrase suivante : « Crusoe *cruise away* de la Chasse-phobie à la Chasse-lubie en passant par la Chasse-galerie ». Tout cela le laissait perplexe. Plus il essayait de rationaliser les événements de la matinée, moins il s'y retrouvait. Il tenta de percer l'identité de ce zombi affalé sur son lit. Profondément endormi, celui-ci semblait désincarné. À l'observer de plus près, on aurait tout aussi bien pu lui donner 48 ans que 78 ans. Son visage n'avait pas d'âge. Ou plutôt si, mais c'était celui, déconcertant, du désespéré chronique. Pendant un instant, l'Homme Perchaude s'enragea d'avoir déjà épuisé le penthotal qu'un ami, ex-filateur de la PAPA (la Police Atonale du Pays Artificiel), lui avait laissé pour le remercier de l'avoir soulagé de ces crises d'inanité.

« Tout ce que j'ai trouvé de mieux à faire avec le penthotal, c'est de jouer au jeu de la vérité avec la Thérapeute. S'il m'en restait un peu, j'aurais pu en apprendre davantage sur mon cadavre ressuscité. Ben non, j'ai préféré me piquer les deux yeux fermés, pis raconter à la Thérapeute tous mes dérapages urbains avec Salomé dans l'espoir de provoquer une complicité irréversible. Disons que cette fois-là, j'étais allé un peu trop loin. C'était pas la peine de lui décrire le désarroi de son ex-mari, le jour où je lui avais fait visionner l'enregistrement vidéo montrant son ex-femme nue, couché sur une civière, coiffée seulement de son bonnet d'infirmière, en train de délirer sur l'impuissance de celui-ci. Depuis ce jour, elle s'est tannée de jouer à la nounou avec moi. Si au début de notre relation, ça l'excitait de faire l'amour à son tortionnaire, par la suite, ça l'a plutôt ennuyée. Elle s'est mise à marcher sur le *cruise control.* Résultat : on s'croise presque plus à l'appartement, et quand ça arrive, c'est pour me retrouver seul le lendemain matin avec un coureur des bois qui carbure à la pôôôôésie : Ronnnnn… ronnnnn… *Je vous le dis,* l'indéférence *n'est pas un char de la* Saint-Jean-Papiste… Ronnnnnn…. ronnnn… *Il faut zombifier à mort la chambre bassement basse du* Bas-Pays Artificiel *et tout faire sauter…* Coup de chance y se met à délirer, je vais peut-être arriver à le faire parler. »

Avant qu'il ne se réveille, l'Homme Perchaude avait appris peu de choses sur son coureur des bois, sinon qu'il se disait fragmentaliste comme d'autres se disent fondamentalistes. Enfant du lithium et de l'électrochoc, il se croyait engagé indéfiniment dans un processus de totalisation. Procédant par fragments, il était convaincu de ne jamais pouvoir atteindre la plénitude. C'est pourquoi, lui avait-il expliqué, son meilleur ami avait toujours été le psychotrope. Grâce à lui, il était devenu celui qui chasse toujours plus en avant, un croisement entre le chasseur de phobies et le chasseur de lubies. Le pourchasseur de l'Ailleurs, enfant de la Chasse-galerie, c'était lui, avait-il répété à plusieurs reprises à l'Homme Perchaude.

Son instinct de chasseur l'avait finalement conduit dans le quartier de Saint-Ennui à Montrivial, où il avait exercé le métier de pharmacien délinquant. Il avait tout appris au sujet du psychotrope, au point d'acquérir toutes les connaissances nécessaires pour prescrire à ses compatriotes descendants de la Barbote Baroque les mêmes comprimés apaisants qu'il avalait jour après jour depuis un temps indéfini. De recréer artificiellement l'état de bien-être que procure l'impression de faire partie d'un grand tout harmonieux avait été son karma jusqu'à aujourd'hui. Il comparait cela à une activité poétique. Il disait être l'archétype du médecin extralucide prévoyant, voire provoquant, à volonté, les réactions du Pays Incertain. Tel un sulfate ou un soluble, il rêvait encore de s'introduire en son pays, afin d'influer sur le cours de son agonie.

À son apogée, avait-il insisté toujours délirant, on venait à lui pour obtenir des sédatifs plus puissants contre la sodomination ou un superhypnotique capable de dépoétiser une nation entière. Il était certain de la prédisposition des indéférentistes à la pharmacie. Toutefois, et cela fut la dernière information que l'Homme Perchaude avait pu lui soutirer, son plus grand échec était de n'avoir pu expérimenter son dernier mélange euphorique visant à ce que l'avenir du Pays Incertain s'accomplisse dans la catastrophe.

Par son délire verbal, le coureur des bois avait renforcé la perception qu'avait l'Homme Perchaude du Pays Incertain, depuis la défaite indéférendaire de 1995. Ce dernier affirmait, à qui voulait l'entendre, que son pays n'était plus qu'une tache d'encre sur le complet veston-cravate du Pays Artificiel. Une tache qui tendait à disparaître sous l'effet conjugué de l'agent nettoyant artificiel et de l'apathie chronique des citoyens incertains. Les propos que venait de lui tenir le coureur des bois l'avaient finalement convaincu de l'urgence d'agir avant que la tache ne disparaisse complètement.

Berné par l'apparent retour à la sérénité du coureur des bois, l'Homme Perchaude en profita pour se débarrasser de lui en cédant à son désir d'aller flâner dans le Vieux-Bébec. Jusqu'à leur arrivée à la Promenade Duffrein, tout alla bien. La balade fut agréable ; l'Homme Perchaude commença même à regretter d'avoir à quitter un homme qui, comme lui, était devenu un maniaco-dépressif, errant de suicide raté en suicide raté après avoir perdu la maîtrise de sa psyché en se frottant de trop près aux psychotropes. Tout au long de

leur parcours, son invité lui raconta des anecdotes crous-
tillantes, notamment sur le Bonhomme Anormal et la
statue de Durassis. Il lui répéta souvent, avec sincérité, qu'il
plaçait au-dessus de lui le Poète Canapé dont la « vocation
exemplaire » était tout simplement « fracassante ». D'une
certaine façon, il aurait été « notre Christ ». L'Homme
Perchaude ne put s'empêcher d'associer le coureur des bois
à ces papys dandys qui étaient capables de commenter la
moindre plaque commémorative, voire le moindre boulon
historique de leur village, et vous raconter pendant des
heures les événements qui avaient marqué l'histoire de leur
terroir.

Arrivés sur les plaines du Tabarnam, l'humeur du
coureur des bois, pharmacien du Pays Incertain à ses
heures, changea du tout au tout. Du bon vivant qu'il était
devenu, il redevint sombre et taciturne en se rappelant
subitement son statut de sans pays fixe. Sa mâchoire se
crispa et son regard devint fuyant. Il adopta progressivement tous les tics du paranoïaque. Puis s'ensuivit une série
d'accusations à l'encontre de l'Homme Perchaude. Il le
traita de Louis Joseph, lui dit qu'il lui faisait penser à ses
ancêtres rentrant à la maison après avoir raté leur rébellion
quotidienne chaque jour ouvrable depuis des siècles et des
siècles, et ce, jusqu'à l'âge de la retraite. Il l'accusa enfin de
cacher son désir chronique d'être sodomisé derrière le
masque des bienheureux qui passaient à côté de l'essentiel
en acceptant de négocier indéfiniment des pots de vaseline
bilingues et des capotes en latex bleu phentex. L'Homme
Perchaude eut à peine le temps de lui répondre que déjà, la
fleur du Lys derrière l'oreille, le coureur des bois partait
avec la grâce de l'aigle, le sexe à l'air, pour prendre son
envol au bord de la falaise. Ayant pensé que celui-ci n'avait
le suicide que théorique, l'Homme Perchaude demeura
confondu en le voyant maintenant passer à la pratique.
Aussi incroyable que cela puisse paraître, tout au long de sa

chute, le coureur des bois cracha à une vitesse d'élocution inhumaine ce qui suit :

J'ai désappris — avant de naître — les danses de guerre de mon peuple sodominé par des dandys en dentelle qui, une fois encabanés ici, ont été sodominés inlassablement et infiniment sur écran géant avec sous-titres en K-Y.

Exécutant une double masturbation aérienne suivie d'un cunnilingus aux cumulus, il poursuivit l'invective :

Deux fois sodominés… *je suis en quelque sorte le spécialiste de la* sodominie… *cri mort contre cri ressuscité,* sodominie *oui,* sodominie *non… Oui, le* sodominé *s'est taillé une toute petite place entre la mort et la résurrection, il est mort et attend dans une espérance régressive et démodée un jour de Pâques qui ne viendra jamais.*

Les mains sur les yeux et mimant l'homme sodominé, il eut encore le temps de crier un dernier blasphème avant de s'écraser au sol :

Il se trouve coincé fortuitement entre deux événements : sa mort passée et son impossible résurrection pascale [...] La seule compensation du sodominé *absolu serait de comprendre pourquoi et de quelle incroyable façon il se fait enculer par l'histoire ; mais justement, par définition, il a perdu la vue….*

Effaré par une telle mise en scène suicidaire, l'Homme Perchaude demeura pétrifié jusqu'à l'arrivée des ambulanciers.

À l'Hôtel-Pieux du Sacré-Pleur de Rhésus, deux aliénistes lui apprirent que son coureur des bois se nommait en fait Cruise Away — c'est le seul nom qu'on lui connaissait — et qu'il était un habitué de l'endroit. Il y avait déjà fait de nombreux séjours plus ou moins prolongés. Au cours de son premier internement, on avait diagnostiqué des problèmes d'inanité passagers. Il pouvait passer la journée à chasser l'ennui en changeant constamment de caleçon, passant invariablement du rouge au bleu et vice versa, tout en répétant inlassablement que la duplicité est une sorte de relation immorale avec la société, un double jeu permettant d'obtenir par le mensonge l'harmonie interdite. En fait, il était convaincu d'être un agent double pourchassé par la PAPA. À son dernier séjour à l'Hôtel-Pieux, on s'était finalement entendu pour dire qu'il souffrait du complexe d'héroïsme : la maladie des faibles épris de force.

Avant son départ de l'hôpital, on avait assuré l'Homme Perchaude qu'on allait faire tout le nécessaire pour reconstituer le visage d'origine de Cruise Away et soigner ses multiples fractures et traumatismes. Cela avait été dit avec un tel automatisme qu'il s'était rendu à l'évidence : ce n'était pas la première fois que son chasseur solitaire ratait une cascade. Il le laissa donc, non sans une pointe de culpabilité, entre les mains de ces aliénistes aux faciès imperturbables. Bien qu'il fût sûr des bons soins qui lui seraient prodigués, il ne put réprimer un sentiment de trahison à l'égard de Cruise Away, sachant qu'on ferait tout, au nom de sa « santé mentale », pour en faire un disciple de l'Érable céleste. Fier de ne pas avoir croulé sous le poids de ce dernier, Cruise Away mourut peu de temps après, laissant planer son âme au-dessus du Pays Incertain.

De retour à l'appartement, l'Homme Perchaude surprit la Thérapeute en train de se mettre sur Intermet. Surprise, elle feignit de surfer sur le site du *Nihiliste Illustré*. Il fit mine de la croire, histoire de ne pas froisser sa susceptibilité. Pour éviter l'incident thérapeutique, il aborda la question de Cruise Away. Elle joua l'étonnement sans avoir les narines du nez pincées, et s'excusa du boucan qu'elle avait mené ce matin dans l'appartement en cherchant ses clés. D'ailleurs, cette recherche l'avait tellement épuisée, ajouta-t-elle, qu'elle avait pris la décision d'aller se reposer à son chalet d'été du lac du Grand Remords. Cruise Away avait-il été l'amant d'un soir de la Thérapeute ou un simple mendiant entré par effraction dans leur appartement ? L'Homme Perchaude ne le saurait probablement jamais. Et, avant que la Thérapeute ne puisse continuer à le mener en bateau, il improvisa un énième rendez-vous à Montrivial chez son acupunctrice, alias Salomé. Feinte pour feinte, cette fois-ci, il eut le dernier mot.

MUTATION SUR LA MONTAGNE : mutation n. f. (lat. *mutatio* de *mutare*, changer). BIOL. Apparition dans une lignée végétale, animale ou humaine de caractères héréditaires nouveaux, par suite d'un changement dans la structure des chromosomes. **Sur** prép. (lat. *super*). **La** art. f. sing. et pron. pers. f. sing. **Montagne** n. f. (lat. *mons*, mont). Élévation naturelle du sol, caractérisée par une forte dénivellation entre les sommets et le fond des vallées.

Le sommet d'une montagne a souvent été le lieu de la révélation, de la mutation. Du mont Golgotha au mont Everest, la dynamique est la même, bien que la symbolique soit différente. De la mutation forcée du corps christique à coups de marteau et de lance à la mutation volontaire du système respiratoire des sherpas, le résultat est identique : une communion intense du supplicié avec le lieu de la mutation, proche de l'émotion que procure l'art sacré.

Le retour dans la vallée suivant la révélation alpine devient alors l'occasion d'un grand débordement de sens semblable aux hurlements des harpies, ces divinités ailées descendant des montagnes dans le but de dévorer tous les festins se trouvant sur leur passage. L'interprétation délirante des signes du quotidien qu'effectue la personne atteinte par la révélation n'est en fait que le symptôme de la mutation spirituelle à venir. L'élu ou encore le mutant est inévitablement montré du doigt par la communauté. Il devient le grand responsable des désordres moraux apparus depuis son retour au village. Dès lors, soit on le lapide, soit on l'enferme. Mais lorsque le mutant fait des émules, au point où la communauté des lapidés devient plus importante que la communauté des lapideurs, le renversement de l'ordre moral devient possible, mais non inéluctable.

Et c'est bien parce que l'inéluctabilité du renversement n'est jamais assurée que le mutant ne doit jamais cesser de convertir à tous vents. Sur terre, sur mer et dans les airs, sa parole doit onduler comme la flamme, de manière à brûler tous les tympans qui se trouvent sur sa longueur d'onde. Lorsque la communauté des lapideurs ne s'embarrasse pas de scrupules, le lapidé n'a plus à tendre l'autre joue. Il ne lui reste dans ce cas qu'à intensifier à outrance son verbe lumière en direction des indécis de la mutation. Il ne doit jamais hésiter à les enivrer, afin de les amener sur la montagne pour leur rejouer la révélation originelle. Ainsi, derrière le mutant se cachera un autre mutant derrière lequel seront submergés l'amphisbène, le bahamout, le béhémoth, la Barbote Baroque, le cheval de mer, le cent-têtes, le Marachois, la scylla, l'Hydre de Lerne, l'Homme Perchaude, les ichthyocentaures, le Kami, le kraken, le rémora, les sirènes, l'Esturgeon à grandes dents, l'ouroboros et le zaratan, monstres aquatiques derrière lesquels apparaîtra le dernier mutant.

II. Le Poète Canapé

Le Lys s'ouvre une autre fois devant vous et expulse de son calice le second pollen d'acide qui poursuit dans le vide l'esquisse de l'arbre généalogique de la mutation agonique. Sur une branche isolée à mi-chemin entre la branche de la Barbote Baroque et la branche du triangle amoureux, vous apercevez présentement Cruise Away et le Poète Canapé. Assis, le premier y joue à la roulette russe tandis que, agenouillé, le deuxième y fait son jeu de patience. Attention ! Ils commencent à s'impatienter de vous voir les admirer comme des bêtes de cirque. Cruise Away braque à l'instant son fusil en votre direction, alors que le Poète Canapé vous demande de bien vouloir tirer une carte de son paquet. Le Poète Canapé vous prie de vous dépêcher, car Cruise Away vous fusillera tous autant que vous êtes, sans discrimination aucune.

Sincères condoléances aux parents et amis de ceux qui viennent de piger la mauvaise carte. À tous les survivants qui ont eu la chance de tomber sur un joker, écoutez bien ce qui suit. Enfant de l'écorce, né du bouleau et de l'érable à Sainte-Agathe des Troncs, le Poète Canapé est l'apôtre des valeurs terriennes : il aime bien manger, bien boire et bien baiser. Indéférentiste convaincu et convaincant, il est constamment en train de discourir, que ce soit devant une assemblée d'humains ou une forêt d'érables. Grand provocateur humaniste et maître de la parole hormonée, sa langue en est une qui a gardé ses ovaires et ses testicules, afin de permettre l'alchimie de l'œstrogène et de la testostérone.

Forts de ces nouvelles connaissances, vous pouvez maintenant poursuivre l'exploration de l'univers mutagène du Lys.

* * *

Depuis l'exil de l'Homme Perchaude à Bébec après la dernière défaite des indéférentistes, le Pays Incertain avait vu Jacques Le Grand Bourbon laisser son poste de premier ministre, sous la pression de son entourage, à l'Unijambiste qui lui avait apporté son appui, au moment de la campagne déférendaire de 1995. Autoritaire de nature et ne supportant pas, à l'instar de feu Ti-Poil, d'être contredit par son parti, il avait continué le bras-de-fer déjà engagé en 1995 avec Néant Éolien (premier ministre du Pays Artificiel). Pendant que le premier ministre incertain poursuivait sa lutte avec le premier ministre artificiel, l'Homme Perchaude, en route vers Montrivial, allait commencer la sienne avec le Poète Canapé.

Ayant quitté Bébec, et toujours vêtu de son indécrottable collet roulé bleu jovial, l'Homme Perchaude était excité par la perspective de retrouver Salomé. Cela faisait maintenant deux heures qu'il roulait à une moyenne de 160 km, mais le paysage était tout autre qu'au cours de ses précédents déplacements. Il eut l'impression d'avoir emprunté le mauvais itinéraire. Pourtant, il était sûr de ne pas avoir modifié son parcours habituel.

Une heure plus tard, il déchanta rapidement au moment où il aperçut un panneau indicateur et qu'il y lut Sainte-Agathe des Troncs. Comment avait-il pu dévier de la route à ce point ? Au pied du panneau, il crut discerner la silhouette fière et altière d'un homme bedonnant et au larges épaules, parlant tout haut, le verbe fort, douze canapés au saumon fumé entre les doigts et deux coupes de vin à la main. Il s'arrêta et entendit l'homme haranguer une forêt d'érables de sa voix forte et gutturale :

*Quand les conditions objectives d'une action n'existent
pratiquement pas, comme ce fut longtemps le cas ici, l'écri-
vain* sodominé, *lui, en plus de devoir gagner sur soi, écrit le
plus souvent contre nature, et c'est pourquoi, tournant en
rond dans sa situation impossible, la parole lui est atroce,
douloureuse...*

L'Homme Perchaude continua à observer l'énergumène
à la mâchoire prognathe et à la chevelure droite et incolore,
qui n'était pas sans lui rappeler « mononcle » Clément
carburant au de Kuyper, tout en discourant devant une
foule inexistante :

*Longtemps, donc, j'ai refusé d'admettre, tout en l'admet-
tant malgré moi, que la* sodominie *m'avait touché, en tout ou
en partie. C'est alors que je devins de 1956 à 1959, comme
tout* sodominé, *un mythomane.*

Son discours terminé, il ouvrit la portière, ignora les
protestations de l'Homme Perchaude, s'assit confortable-
ment sur le siège du passager et, se tapant sur la bedaine,
demanda au conducteur s'il avait de quoi tenir la route.
L'Homme Perchaude ragea intérieurement avec l'envie de
tout laisser tomber pour retourner se blottir entre les seins
de la Thérapeute au lac du Grand Remords. Mais la peur de
s'écraser, comme son Boucher de père devant sa Démembreuse de mère, l'emporta et il continua son périple.

« Ciboire ! ! ! C'est quoi l'affaire ! J'tombe sur un aliéné
du troisième type, pis en plus y faut que j'fasse la cantine
mobile. Wo ! ! ! Ça va faire le niaisage. J'ai déjà assez donné
avec Cruise Away ! »

Les deux compagnons d'infortune roulaient déjà depuis
un bon moment. Le passager de l'Homme Perchaude
s'acharnait à réchauffer un restant de pizza trouvé dans la
voiture en le plaçant sur le dessus du *dash*, le *defrost* à *heat*.
Entre deux bouchées de pizza *defrost* et une gorgée « d'Eau
Bénite », qu'il avait demandé à l'Homme Perchaude
d'acheter en cours de route, l'Aliéné lui parlait continuelle-

ment comme s'il était son père. Le ton archaïque et le verbe électrique, il déclama subitement et avec aplomb :

Une fois que j'eus assumé ma condition de sodominé, *du moins la part en moi qui est* sodominé, *que je l'eus revendiquée et retournée en une affirmation, j'estimai, par rapport à l'écriture, que la seule attitude convenable résidait dans le silence, forme de protestation absolue, refus de pactiser avec le système par le biais de quoi que ce soit, fût-ce la littérature.*

Puis il se tut jusqu'à leur arrivée à Montrivial, laissant la bête de scène, Iggy Pop, saboter son silence en chantant d'un ton monocorde *The Passenger* sur les ondes de Radio-Incertitude.

À l'instar de Cruise Away, l'Aliéné avait ensorcelé l'Homme Perchaude. Ce dernier cédait à toutes ses demandes. Ce qui lui fit faire un étrange tour de ville. Rue Sainte-Latrine, à la hauteur de Hotwater, il gara la voiture et marcha vers l'est avec l'Aliéné. À l'angle des rues Stainless et Sainte-Latrine, l'Aliéné se mit avec lyrisme à foudroyer de sa langue la grande putain sur laquelle il disait marcher :

Or je suis dans la ville opulente ------ la grande Ste-Latrine Street galope et claque ------ dans les Mille et une Nuits des néons ------ moi je gis, mûré dans la boîte crânienne ------ dépoétisé dans ma langue et mon appartenance ------ déphasé et décentré dans ma coïncidence.

Ils continuèrent jusqu'à la Calèche du Sexe et y entrèrent pour voir Salomé danser. L'Aliéné ne put s'empêcher de faire la cour à cette dernière, en lui disant à quel point il avait été ému par sa dernière rotation autour du phallus de bronze placé au centre de la scène circulaire. Salomé et l'Homme Perchaude rirent de bon cœur de l'emportement de l'Aliéné. Après avoir bu un nombre incalculable de bières tablettes offertes par l'Homme Perchaude et le personnel de la Calèche, le Poète Canapé se fit proposer par Salomé de venir visiter les cabines privées de l'établissement. Quand l'Homme Perchaude le vit revenir de sa visite guidée, marchant de peine et de misère, il comprit en souriant que Salomé et ses consœurs lui avaient réservé le traitement royal. Avant de repartir avec l'Homme Perchaude, l'Aliéné donna à chacune de ses bienfaitrices son recueil de poésie, *L'Homme rapiécé*, pour les remercier de lui avoir accordé autant d'attention.

Continuant leur virée plus à l'est, le duo tourna rue Saint-Dépit, en direction de la Bibliothèque nationale. Comme par hasard, on y donnait un vin et fromages en l'honneur du récent lauréat du prix Gris Belles Dents, remis à un auteur aussi versatile dans son style qu'opportuniste dans sa carrière. Précédé de l'Homme Perchaude, l'Aliéné enjamba lourdement les marches du panthéon national et fit son entrée dans la Grande Salle avec toute l'aisance qu'il faut pour ne pas se faire demander son invitation. À peine arrivé, il se dirigea vers la table à vin, les mains déjà pleines de canapés de toutes sortes. Puis il se mit à parler à l'un et à l'autre, grignotant et buvant entre ses envolées lyriques de quoi tenir le coup jusqu'au prochain cinq à sept. Souvent, il répétait à qui voulait l'entendre :

J'aime mieux mourir avec le plus grand nombre que de me sauver avec une petite élite, ou des élites qui ne seraient que qualitatives.

Les messieurs encravatés et les dames emparfumées faisaient semblant de l'ignorer, mais leurs chuchotements trahissaient un profond mépris pour le personnage. Ce qui le rendit tout à coup plus sympathique à l'Homme Perchaude. En outre, il était probablement le plus habile orateur de la foule réunie autour d'un buffet bien garni. Rien n'y paraissait, sa gestuelle de pique-assiette suivait parfaitement le rythme de son discours. Chez lui, discourir les mains pleines, un verre à la main, était un don de naissance. Après quelques bouteilles de rouge, un discours enflammé à la mémoire de Cruise Away et plusieurs impairs mondains, l'Aliéné traîna laborieusement l'Homme Perchaude en direction du mont Jovial.

À minuit moins quart, au pied de la montagne, l'Homme Perchaude sur son dos, l'Aliéné cuva son ivresse en verbiage sauvage :

Pays chauve d'ancêtres, pays ------ tu déferles sur des milles de patience à bout ------ Nous avons laissé humilier l'intelligence des pères ------ nous avons laissé la lumière du verbe s'avilir ------ jusqu'à la honte et au mépris de soi dans nos frères ------ nous n'avons pas su lier nos racines de souffrance ------ à la douleur universelle dans chaque homme ravalé ------ Grands hommes, classe écran, qui avez fait de moi ------ le sous-homme, la grimace souffrante du cro-magnon ------ l'homme du cheap way, l'homme du cheap work ------ le damned Canuck ------ Un jour j'aurai dit oui à ma naissance ------ Et mon corps d'amoureux viendra rouler ------ sur les talus du mont Jovial.

À bout de souffle, l'Aliéné pria l'Homme Perchaude de prendre la relève. Rendu au sommet du mont Jovial, le vin aidant, ce dernier s'exécuta prestement :

Nous cherchons les portes d'une vallée confortable ------ comme ce notable pendu au fond de notre étable ------ Titans devenus impuissants ------ nous vidons nos chargeurs sur nos meneurs ------ et nous fixons à leurs douleurs ------ couverts du givre suant des saints suaires ------ Marqué à vie ------ parce que né sous anesthésie ------ on s'ennuie à contempler l'État-comble ------ Frères et sœurs unis dans l'ombre du macchabée ------ c'est au bûcher que nous nous retrouverons.

Le dernier mot prononcé, l'Homme Perchaude comprit qu'il ne pouvait plus se complaire dans l'indifférence comme son père, le Boucher, l'avait fait avant lui. Cruise Away et l'Aliéné, qui allait bientôt l'autoriser à le surnommer le Poète Canapé, avaient déclenché en lui un processus irréversible. Ils lui avaient révélé ce qu'il avait volontairement oublié depuis son départ de Montrivial. Désormais, il ne pourrait plus feindre la surdité et l'aveuglement comme sa mère le lui avait appris. À jeun, saoul ou gelé comme une balle, il ne pourrait plus nier la précarité de son inanité. Son statut de sodominé serait son stimulant mutagène : contre la matraque, le verbe du « tabarnak », contre les bien-pensants, la langue du décadent. L'Homme Perchaude renaissait. Comme à l'époque de la première mutation sous les eaux du Saint-Rampant, il reprenait son rôle de porte-parole des sans verbe, avec, cette fois-ci, une différence de taille : il avait reçu le verbe-lumière de Cruise Away et de l'Aliéné. Maintenant, comme eux, il serait l'incarnation de la parole-action.

Au cours de cette seconde mutation, la langue de l'Homme Perchaude s'était enflammée devant l'Aliéné, médusé :

« Regardes-les, l'Aliéné ! Ils s'avancent, sûrs d'eux-mêmes, gonflés à bloc comme ces morses à la gorge hypertrophiée. Qu'ont-ils à nous dire ? Tout et n'importe quoi, l'important c'est d'y mettre la forme. Démonter, recadrer, épurer, redigérer l'indigeste au goût du jour, telles sont leurs fonctions. Artificialistes, indéférentistes, Féministes, MasCULinistes ou petits pénis, peu importe leurs obédiences, ils n'ont qu'une idée en tête : jeter l'anathème sur tout ce qui bouge. Partisanerie oblige, la pensée devient ici tributaire de l'action. L'ivresse m'atteint, l'Aliéné, le vertige s'en vient. Encore quelques minutes de lucidité et je pourrai revoir mon terroir, mon antre noir.

« Mon pays s'enlise lentement mais sûrement. Il n'existe plus qu'à l'état de fantasme. L'important c'est de préserver le fantasme, donc de ne pas le réaliser. On laisse le bon peuple s'exciter la cuisse à même la croix gavée du jeune premier Boui-Boui Poux. On lui explique que le pardon accordé à l'ex-sympathisant du FPNE (Front du Passé Non Expurgé), Rivard Terrien, se conjugue au passé mais non au présent.

Pendant ce temps, nos représentants fessent sur tout ce qui ne correspond pas à l'ère du temps ou se font « idéologieux » à l'égard de ces penseurs autonettoyants au passé sans tache. Bébé, ai-je tiré les boudins du Tabarnam à la garderie, qu'ils feront de moi le pire des tortionnaires depuis Brosse Barbie. Adolescent, j'ai eu l'indécence de baiser sans capote plus d'une partenaire, ils n'hésiteront pas à me rendre responsable des dernières mutations du VIH. Pire ! Je n'ai jamais eu d'expérience homosexuelle, ils me jugeront homophobe radical passible d'une peine d'empalement à vie au bingo à Fado. Oh gosh ! Le Pays Incertain vibre. Ma raison vacille. Il ne me reste plus grand temps avant la paralysie phallique. Épuisé, je poursuis ma renaissance en pénétrant tes tympans d'aliéné.

« J'aime croire que j'aime ma CULture, mais ce n'est pas elle que j'aime. Ce que j'aime, c'est la représentation que j'en ai, c'est ce qui me traverse l'esprit et que je nomme Pays Incertain, c'est le pays malade que j'imagine et caricature comme il me convient de l'imaginer et de le caricaturer. Je sais très bien qu'il suffit que mon humeur change à l'égard du pays fantasmé pour que le pays réel, dont je ne connais que l'existence virtuelle, se transforme, s'adapte. Comme toi, l'Aliéné, je ne suis que pur fantasme. Seconde après seconde, je me dématérialise sur la planète et me numérise sur le Net : je clique donc je suis.

« Au cinq centième crucifié cybernétique, le neurone subversif subvertit l'agent mutagène. Une indéférentiste voit son clitoris mué en un tout petit pénis à peine visible à l'œil nu. Je le suce avec le goût de castration dans l'fond d'la gorge. Au moment même où elle éjaCULe, je la dévisage pour me rassurer sur mon orientation sexuelle. À défaut d'être son Adonis, je suis le seul à avoir accepté son hermaphrodisme : un « top modèle » au phallus improbable me somme d'accepter l'égalité des sexes jusque dans sa chair intime, transcendance pénétrant mon immanence. N'est-ce pas là le principe même de l'incarnation mis en branle, cette fois-ci, par la fusion de la vulve CULpabilisée et du gland CULpabilisant ? Peut-être existe-t-il un lien entre cette fusion et la volonté de l'historien du Pays Incertain à toujours écrire la Sodominie avec un grand S, comme s'il y avait une fierté à avoir été sodominé ? Pourtant, j'imagine bien au lendemain de la Première Sodominie, le fantasme de la femme du sodominé : se faire prendre par le sodominateur plutôt que par son impuissant de mari qui, ayant été le sodominé des deux verges rivales, est finalement devenu le sodominé du clergé. À ce fantasme fondateur des filles du bois s'est substitué, pour le meilleur et pour le pire, le fantasme d'une expérimentation sodominante à l'endroit du sodominé. Du matriarcat énergique au féminisme héroïque, le citoyen incertain a grogné, puis, comme à l'habitude, a capitulé. Ma quête conscientisante se fragmente. CULture, patrie, CUL, maladie et CULpabilité s'entremêlent dans mon délire : dernier saut avant le Grand sommeil.

« " Niaiser ou mourir ", tel était le dilemme de Bérénice, l'héroïne de *L'Avalée des avalés*, dilemme qui s'applique aujourd'hui à mes concitoyens du Pays Incertain. Nous ne sommes pas vieux, l'Aliéné, mais déjà fatigués d'exister. Nous faisons de toute défaite un triomphe : triomphe de la démocratie, de la tolérance, de la prudence, etc. Triomphe mon CUL ! À moins qu'on parle du triomphe de la niaiserie, de l'insignifiance ou du *looser* qui a complètement oublié ce que le moins courageux des lièvres se rappelle quand il s'ampute la patte prise au collet : mieux vaut vivre diminué mais libre qu'exister en pleine santé mais menotté. Alors, l'Aliéné, niaiseras-tu en bonne santé ou vivras-tu avec moi, handicapé mais libéré ?

« De retour au grand détour, j'attends toujours la révélation. À cours d'inspiration, je prends une grande respiration et plonge tête première dans l'humus. Le rêve se fait rare. Tout est gris, d'un gris qui m'éloigne de l'extase et me rapproche de l'ennui. Ce gris, je le connais bien, l'Aliéné, il m'a collé au CUL assez longtemps et revient encore me hanter de temps en temps quand je repense à la Démembreuse et au Boucher. Seul moyen de m'en défaire : partir pour un *nowhere* ou, mieux encore, mettre en scène ma vie quotidienne, afin d'atteindre le sublime. Les jours où ça le fait, j'imagine avoir effacé à jamais la grisaille aiguë qui me nargue depuis ma naissance. Rien à faire, elle réapparaît sur mes murs, dans ma tête et jusque sur mon sexe. Il ne me reste plus que la grande brûlure, placebo inévitable qui me donne l'illusion d'avoir le dessus sur l'ennui.

« Toi, l'Aliéné des *nowhere* à venir, pour qui je serais prêt à lécher l'érablière intime de Second Cup, la ministre artificielle de la Culture, promets-moi de venir me rejoindre au pied du mont Jovial, la nuit où Montrivial deviendra une nécropole et que l'humain, accoudé à l'écorce du dernier érable de la dernière clairière du dernier sentier, viendra gémir sur la tombe de l'ami qu'il avait perdu bien avant qu'il ne lui claque entre les mains. Ce sera assurément le moment pour nous de retourner, ensemble, à l'indicible lumière d'une strophe catastrophe acclimatée à l'ennui d'un jour mort-né, de ramper sous les éviers pour humer le parfum du macchabée, de chavirer, par une chaleur givrée, leurs noms en mille prénoms, puis d'éclater la mince pelliCULe qui nous isole l'un de l'autre. Retournant à l'origine, l'esprit noyé de gin, j'attendrai l'Instant. Tu sentiras l'étranger en moi, tu te méfieras, puis tu finiras par m'accepter. En ce moment, ma tête tourne comme une girouette instable prête pour le grand sacrifice. Jouer ma vie plutôt que de la vivre… Tout prend un sens nouveau, l'incertitude devient urgence. Ici, rien ne me retient. Le refoulé s'affiche haut et fort. Mais depuis la dernière défaite des indéférentistes, je n'ai plus rien à dire, rien à jouir, seulement le besoin de dormir : hiberner en plein été, tel semble être mon karma estival. Il n'y a que la nuit où mon corps daigne un peu flâner et où je me sens sodomisé par d'autres sodomisés. L'accent de mes semblables m'est devenu exotique. Je te laisse, l'Aliéné, le regard de Second Cup me fait signe de regagner la vallée. Au creux de celle-ci se trouve mon garde-fou, la Thérapeute. Grâce à ses bons soins, je pourrai poursuivre mon exploration délirante sans craindre la foudre de l'Érable céleste et de ses aliénistes. »

Encore sous le choc de sa dernière mutation, succédant avec plus de seize ans d'écart à sa première mutation amorcée sous les eaux du Saint-Rampant, l'Homme Perchaude eut à peine le temps de voir l'Aliéné se diriger vers le vide, la fleur du Lys à la main. Avant de prendre son envol du haut du belvédère, il l'autorisa en guise de remerciement à l'appeler ironiquement le Poète Canapé. Le saut de l'ange amorcé avec la volonté d'aller rejoindre le troupeau urbain, l'Homme Perchaude l'entendit répéter inlassablement, au cours de sa chute, ce qui suit :

Telle fut sa vie que tous pouvaient voir ------ Terminus ------ Dans l'autre vie il fut pauvre comme un pauvre ------ vrai de vrai dépossédé ------ Oubliez le citoyen du Pays Incertain ------ ce garçon qui ne ressemble à personne ------ Telle fut sa vie que tous pouvaient voir ------ Terminus.

Le Poète Canapé mourut en plein vol, le cœur fracturé et les yeux grand ouverts fixant le territoire. L'atterrissage fut une autre histoire, que l'on put lire dans la chronique des chiens écrasés du *Journal de Montrivial*. Deux suicides en deux jours, c'était un peu trop pour l'estomac sensible de l'Homme Perchaude. Il fit donc comme si le Poète Canapé s'était envolé vers le haut plutôt que vers le bas et, la tête dans les nuages, redescendit de la montagne vers un *nowhere*, l'esprit du Poète Canapé planant au-dessus de sa tête.

MUTATION   ÉPIDERMIQUE :
mutation n. f. (lat. *mutatio* de *mutare*, changer). BIOL. Apparition dans une lignée végétale, animale ou humaine de caractères héréditaires nouveaux, par suite d'un changement dans la structure des chromosomes. **Épidermique** adj. Relatif à l'**épiderme** n. m. (gr. *epi*, sur, et *derma*, peau). Partie externe de la peau constituée de plusieurs couches de cellules dont la plus superficielle est cornée et desquamée (poils, plumes, cornes, ongles, griffes, sabots sont des productions de l'épiderme).

Lorsque la parole ne suffit plus à soutenir la mutation, c'est signe que cette dernière va bientôt s'inscrire à même la chair humaine. L'inscription du discours poétique sur le corps du citoyen incertain devient alors l'équivalent du terrorisme politique. De l'explosion de la boîte aux lettres à l'incision épidermique des lettres du poète, on a affaire à deux entreprises de déconstruction. L'une privilégie l'éclatement de l'ordre alphabétique, alors que l'autre favorise l'organisation anarchique de la grammaire. Dans ce contexte, les extrémistes ont l'occasion de prendre en main la mutation, afin de la radicaliser jusqu'à son dernier degré d'inscription. L'indécis devient autant suspect, sinon plus, que l'ennemi de la mutation. Il est tout aussi sujet que ce dernier à subir le marquage forcé de son épiderme. À cet effet, le cas du Tatoueur est exemplaire.

* * *

Sur l'autoroute Ville-Tarie, un soir de l'après-guerre, un bébé, jeté par ses parents de la fenêtre d'une automobile, rampait entre de grosses américaines. Son esprit ondulant sur leurs courbes généreuses, il télépathisait avec l'acier du MC5 (Motors City Five). Ce qui devait arriver arriva. Il finit par se frotter à une carrosserie contaminée par la rouille. À partir de ce moment, il fut sujet à de fréquentes poussées d'herpès simplex d'une souche inconnue jusqu'alors. Ce type d'herpès avait la curieuse propriété de favoriser des éruptions cutanées formant les logos des cinq compagnies du MC5 (Ford, Studebaker, General Motor, Chrysler et American Motor), non seulement sur les parties génitales, mais aussi sur l'ensemble du corps. Le rejeton, devenu adolescent, décida finalement de se faire tatouer le corps en entier de logos de motoristes japonais (Toyota, Datsun, Honda, etc.), histoire de masquer les cicatrices passées et les éruptions à venir. De plus, il se fit un devoir de ne rouler qu'en japonaise, jamais dans une américaine. Lors de ces poussées d'herpès au volant de son engin débridé, le tableau était saisissant. Tous ses tatouages japonais prenaient du relief et venaient se confondre avec les logos du MC5. On pouvait ainsi contempler sur son corps une calligraphie bâtarde qui, à défaut d'être lisible, nous laissait en revanche une troublante fulgurance sculpturale, toujours en mouvement au gré des écoulements ulcéreux. Derrière la voiture, une traînée de liquide herpétique venait contaminer les motocyclistes imprudents roulant sans casque protecteur. Ces derniers se retrouvaient à tout coup avec le visage tatoué de croûtes brunâtres provoquant le prurit miséreux. C'est depuis ses premières randonnées contaminantes qu'on le surnomma le Tatoueur.

* * *

Ainsi, à l'ère de la grande radicalisation, la mutation se fait violente. On se prépare pour la dernière danse en invitant les plus belles peaux du Pays Incertain. Quelles soient blanches ou noires, laiteuses ou poreuses, l'important est qu'elles supportent le poids des mots sans trop se distendre. Ici, toutes les parties du corps sont mises au service de la mutation. Tant que dure la radicalisation de la mutation, personne n'est à l'abri du tatouage, même le plus mutant des mutants.

III. Le Tatoueur

Le Lys se dilate encore une fois devant vous, chers lecteurs, et crache hors de son calice le troisième pollen d'acide. Sous l'effet morbide de ce dernier, vous voyez l'arbre généalogique se régénérer en une mutation cadavérique. Vous assistez, impuissants, au tatouage de centaines de branches mortes sur la cime de l'arbre par l'enfant du bitume et de l'acier : le Tatoueur.

Vous lisez sur une de ces branches l'origine du sadisme propre au Tatoueur : orphelin de naissance, trouvé sur l'autoroute Ville-Tarie et confié en 1946 au curé de la paroisse Saint-Ennui, durant toute sa jeunesse le Tatoueur subit les visites nocturnes du curé. À chaque visite, ce dernier lui déroulait le prépuce pour y tatouer à l'encre rouge un extrait des *Sept sceaux de l'Apocalypse* selon Saint-Jean. Lorsque le Tatoueur se plaignit de cela à la vieille servante du curé, celle-ci, de peur que le scandale n'éclabousse toute la paroisse, décida d'aller tous les matins dans la chambre du Tatoueur faire disparaître les preuves du méfait en effaçant à grand coup de dents les tatouages apocalyptiques du curé. Ce qui n'était pas sans faire souffrir le Tatoueur. Quelques jours après qu'il eût fui le lieu de ses souffrances, on retrouva le curé empalé au paratonnerre de l'église avec *Justine ou les malheurs de la vertu* tatoué en miniature et à l'encre bleue sur le périnée. On découvrit aussi la servante, noyée dans un tonneau d'eau bénite avec *Les cent vingt journées de Sodome* tatoué en miniature et à l'encre rouge au même endroit.

Maintenant que vous connaissez le passe-temps préféré du Tatoueur, méfiez-vous quand vous le verrez apparaître dans les prochaines pages de mon conte sous les traits d'un homme au yeux rouges, le cheveu bleu et huileux, le sexe cornu, le corps marqué de tatouages innommables et ayant juste la peau et les os. Qui sait ? Vous serez peut-être ses prochains cobayes et regretterez d'avoir tiré la bonne carte au chapitre précédent.

* * *

Au Pays Incertain, la situation était devenue de plus en plus invivable. Les citoyens incertains appréhendaient l'application imminente de la politique des « grandes coupures » de l'Unijambiste ; la PAPA resserrait sa surveillance sur tous les citoyens incertains soupçonnés de sympathie envers les indéférentistes ; Néant Éolien s'enfonçait encore plus profondément dans la démence langagière en affirmant, entre autres, que le poivre de Cayenne utilisé par la PAPA était, il est vrai, une manière forte, mais nécessaire pour redonner une saine vision aux citoyens incertains, cette dernière ayant déjà été, selon lui, trop longtemps surexposée au bleu incertain du Pays Incertain. Et pour clore le tout, le Pays Incertain venait de remporter la palme du plus haut taux de suicide parmi les nations industrialisées. L'Homme Perchaude en savait quelque chose. Il venait d'assister au suicide du Poète Canapé, alors qu'il avait encore de la peine à se remettre de celui de Cruise Away. Tout cela n'avait pas été sans diminuer les effets tonifiants de sa dernière mutation.

Le corps en suspension, le regard comateux et le collet roulé imbibé d'alcool, l'Homme Perchaude se réveilla au lever du soleil dans une ruelle de la ville d'Outretombe. L'œil brûlé par le premier rayon, il arrivait à peine à reconnaître le quartier où il avait improvisé sa nuit après l'envol du Poète Canapé. Il distingua vaguement trois jeunes filles aux cheveux décolorés, déroulant leurs bas de laine noire jusqu'aux genoux et ajustant leurs jupes d'écolières de sorte que l'on imagine la courbe anorexique de leur pubis. Elles avaient l'accent du caniche, tout en tournant leurs phrases de manière incertaine. Elles marchaient droit devant avec l'assurance de ces êtres qui croient que tout leur est dû. On sentait qu'elles avaient travaillé leur spontanéité. Si leurs chemisiers débraillés et détachés jusqu'au nombril leur donnaient un air faussement sulfureux, en revanche, la qualité du cuir de leurs souliers trahissait leur véritable appartenance sociale.

L'Homme Perchaude n'eut pas le temps de leur adresser la parole, car arriva à toute vitesse, au bout de la ruelle, un vieux débris japonais sur roues, conduit par un paumé à la tête brûlée. Étonné, l'Homme Perchaude reconnut sa propre voiture ! Après un long et violent dérapage, suivi d'une embardée et d'un quadruple tonneau, la voiture de l'Homme Perchaude s'immobilisa à la hauteur des trois nymphes imperturbables. Le conducteur sortit par le coffre arrière, une tempe défoncée, un genou déboîté et le torse nu, ensanglanté et tatoué de petits crocodiles atroces. Titubant avec panache et fier de toutes ses cicatrices, il avançait à coups de spasmes et de souffles irréguliers, se caressant la chevelure bleue et huileuse. À trois pieds d'elles, il s'arrêta brusquement et fixa au-dessus de leurs têtes le reflet rougeâtre d'une feuille d'érable. Pris de convulsions après un moment, il se mit à parler comme un possédé surfant au-dessus du cauchemar :

Janvier s'en vient ------ les habitants se pendent au-dessus du poêle à bois ------ pendant que leurs femmes passent le vibrateur ------ dans l'affaissement frigide ------ des vieillardes importées d'Europe.

Les trois jeunes filles rirent nerveusement. Plus il sentit monter leurs précieuses nervosités et plus il se fit explicite :

Nous nous cachons dans les tavernes de Rhésus, *avec la Fée des étoiles, la barmaid du Sombrero. Après les prisons de* Trois-Misères, Sainte-Enceinte, Lametranchais *et* Bordorico, *nous*

brûlons nos restes dans tout ce que l'Est comporte de salles de
pool, de pushers crosseurs, de bains turcs mâles cow-boy...

Elles se firent soudainement moins ricaneuses, mais plus
nerveuses. Le Tatoueur en profita pour en rajouter :

... propriété des avaleurs de feu blanc, un repas d'egg rolls
aux crevettes et de plumes d'anges = héroïne + THC : sabotage
du sens du sang, avec des Indiennes dosées roses, bourbon,
méthadone, Slivowitch, Metaxa, Southern comfort, Molson et
téquila.

La scène demeura figée de longues secondes. Jusqu'à ce
que le prétexte apparaisse.

Un pédant à la moue dédaigneuse passa en jogging
Ralph Lauren devant le Tatoueur. Excité par l'odeur d'huile
de Polo de notre athlète pressé à froid, il renversa deux des
jeunes bourgeoises sur le joggeur du dimanche et leur
ordonna de lécher la calvitie naissante de ce dernier, sous la
menace d'une seringue-VIH placée près du cou de leur troisième camarade prise en otage. Secouées par la rage de celui
qu'elles avaient pris pour un simple bouffon décadent et
pleurant à chaudes larmes sans perdre toutefois de leur
superbe, elles s'exécutèrent. Croyant la partouze terminée,
notre athlète dominical et ses deux meneuses de claques
déguerpirent sans se soucier du sort réservé à l'otage du
bouffon maléfique. Calme et posé, ce dernier ordonna à
celle-ci de se dévêtir et d'uriner sur la feuille d'érable artificielle collée à l'asphalte de la ruelle condamnée. Enfin, il la
fit s'agenouiller face contre terre et lui tatoua sur le périnée,
en miniature et à l'encre rouge, le poème qui suit :

Peuple fœtus criant à l'éclosion d'un verbe ------ *nouveau*
------ *dans la langue des « interdits-de-parole »* ------ *qui ont*
pressenti l'homme avant son envol ------ *peuple démiurge* ------
crucifié dans sa gale et son acharnement ------ *à crever dans la*
fange des vagins à sec.

Bien que le tatouage fût terminé depuis un bon
moment, elle garda la position, complètement paralysée par

la peur. Elle sentait bien que son agresseur ne supporterait aucune contrariété. Dès son arrivée, elle avait compris qu'elle et ses amies avaient affaire à un psychopathe en quête de nouvelles victimes à avilir. La soumission et la dégradation de la femme motivaient toutes les actions du Tatoueur, dût-il parfois se servir de la séduction et de discours mielleux. Quelques minutes passèrent. Puis, fier comme un paon de voir son otage totalement soumise et terrifiée, le Tatoueur la laissa seule à sa catatonie et reprit sa litanie en s'approchant de l'Homme Perchaude :

Avortés aux poisons de la parole ------ Nous sommes morts d'avoir brandi trop ------ haut certains drapeaux encore tout ------ ruisselant du sang des damnés.

La jeune fille en profita pour retrouver ses esprits et s'enfuit en criant à qui voulait l'entendre que le Tatoueur mangeur de pudeur était de retour.

Depuis l'arrivée catastrophe du Tatoueur, l'Homme Perchaude n'avait été capable d'aucun mouvement. Il avait eu l'impression de vivre une descente d'acide sans possibilité d'intervenir sur les événements. Il se sentait aussi amorphe que le Boucher. Traumatisé jusqu'à la moelle, il n'avait pu que rêver son héroïsme, espérant un jour retrouver l'affection de la Thérapeute et l'amour pervers de Salomé. À l'approche du Tatoueur, l'Homme Perchaude put cependant reprendre possession de son corps. Il fut pris d'une envie irrépressible d'étrangler le Tatoueur. Les mains serrées autour du cou de ce dernier, il sentit son aorte s'affoler. Plus elle s'affolait, plus il serrait, en pensant aux suicides de Cruise Away et du Poète Canapé pour se donner du courage.

La strangulation amorcée, l'Homme Perchaude reconnut tout à coup en la personne du Tatoueur celui qui durant son enfance venait régulièrement rôder autour du logis familial. Chaque fois, sa mère sortait chasser l'intrus avec une paire de pince-monseigneur. Mais cette fois, c'était l'Homme Perchaude qui allait s'en occuper. Les yeux exorbités et respirant à peine, avec les mains de l'Homme Perchaude autour du cou, le Tatoueur agonisait en paroles, regardant son agresseur droit dans les yeux :

Ceci est tout doucement une invitation ------ à venir suspendre vos lèvres ------ dans une clôture d'enfant ------ pour que la révolution soit un piège de farine chaude ------ une tente d'oxygène pour les Indiens étouffés sous les bisons.

Le verbe du Tatoueur commença à indisposer sérieusement l'Homme Perchaude. Il était profondément bouleversé par ses paroles. Les nerfs à vif, le mutant se sentait sombrer dans la démence. Il souhaitait en sortir le plus rapidement possible, car il n'était pas encore prêt à planer au-dessus du Pays Incertain avec Cruise Away et le Poète Canapé. Si seulement, pensa-t-il, la maudite messe noire du Tatoueur pouvait prendre fin !

Nous nous mettrons ------ tes cuisses de cuir à mon banc de plumes ------ avec des paravents de moteur d'eau ------ et l'extase de se fendre ------ quand d'autres naissent sous la langue des animaux ------ sera confite de belle paille de mer.

Pris d'un insoutenable vertige, l'Homme Perchaude perdit conscience quelques minutes et rêva encore une fois à sa noyade avec Cruise Away. Toutefois, il n'était plus dans le Pauvrelieu où il avait coulé avec lui, mais dans le vagin prépubère d'une écolière qui avait les traits rajeunis du visage de la Thérapeute et qui s'était retenue d'aller au p'tit coin depuis le matin. Au prix d'un effort considérable, l'Homme Perchaude revint à lui et agrippa de nouveau le cou du Tatoueur, non sans peine. Il était à bout et la voix du Tatoueur l'obsédait toujours. L'Homme Perchaude perdit conscience une seconde fois. Il rêva encore aux plaisirs juvéniles et parvint à l'orgasme. Le fantôme de Cruise Away lui fixait la nuque, l'air à la fois envieux et désapprobateur. Mais plus rien n'atteignait l'Homme Perchaude. Son corps avait perdu toute sensibilité au profit de sa queue.

Quant au Tatoueur, il éternisait sa messe noire :

Le vin de tes jambes me chauffe comme de l'urine d'agneau ------ tes ongles sont verts pour caresser les commandos ------ la nuit saoule au kummel ------ je voyage sur ton sexe de mescaline ------ déjà rosée et écartée ------ et éternellement fluide sous la main.

Le rêve de l'Homme Perchaude se poursuivait. L'écolière était devenue femme. Son urine thérapeutique ne sentait plus l'hydromel, mais le Jack Daniel's. Sans vergogne, le fantôme de Cruise Away la baisait à couilles rabattues, tandis que celui du Poète Canapé faisait son jeu de patience et que l'Homme Perchaude soignait une urétrite psychosomatique en se regardant pisser des lames de rasoir. La douleur fut si tranchante qu'il se réveilla en sursaut, les mains toujours autour du cou du Tatoueur.

Ce dernier cracha ses dernières obscénités avant de rendre l'âme :

Mon effrayante juive mauve ------ mon poulet du christ au cou tranché ------ dois-je cueillir mon haschisch ------ ou laver mes bêtes ------ quand tu coules ------ violente comme une église ------ sur les petites filles de la ruelle Châteaubriand.

Rescapé miraculeux du verbe psychotique, l'Homme Perchaude laissa croupir dans la ruelle le cadavre désarticulé et tuméfié du Tatoueur dont l'esprit planait à son tour, à l'instar de Cruise Away et du Poète Canapé, au-dessus du Pays Incertain. Encore sous le choc, il démarra son tas de ferraille tout en avalant le restant d'une bouteille de téquila laissée sur la banquette arrière par le Tatoueur. Acier défoncé et fenêtres éclatées, il fila à tombeau ouvert vers Montrivial retrouver Salomé, son dernier rêve ayant épuisé son désir de revoir la Thérapeute. Il espérait que Salomé puisse, par il ne savait quelle manipulation ou incantation, exorciser son mauvais karma et, peut-être, lui en apprendre davantage sur le Tatoueur.

Le regard volontairement albinos, l'Homme Perchaude brûla tous les feux rouges et prit à contresens les sens uniques. Sa transgression routière s'était étendue de Van Porn à De Bouffon en passant par Saint-Dépit, mont Jovial, Saint-Rampant et Durelutte. Il sortit de son corbillard tout en sueur et tenait à peine sur ses deux jambes, secoué qu'il était par la dernière collision frontale. Salomé l'attendait sur le balcon de son appartement de la rue De Bouffon. Un bruit d'enfer le fit se retourner. Le toit de sa voiture venait de s'effondrer à l'intérieur de l'habitacle. Non sans satisfaction d'être maintenant propriétaire d'un cabriolet, il s'évanouit.

Allongé sur le lit baldaquin de Salomé, vêtu seulement de son collet roulé et à demi conscient, l'Homme Perchaude fixait les petites étoiles fluorescentes du plafond. Elles l'aidèrent à se remémorer le dernier hiver passé clandestinement à Montrivial avec Salomé.

À cette époque, le regard fuyant et fixant plus souvent qu'autrement le tapis noir et blanc de la ville, l'Homme Perchaude appréhendait comme toujours la prochaine tempête. Dépression hivernale oblige, il souhaitait l'électro-choc, histoire de se shooter un semblant de vie. Retournant l'indicible morosité d'une sodominie à répétition et regardant fondre le glaçon sous le balcon, chaque fois il s'endormait, totalement anesthésié par l'antibiotique.

Pire que l'enfer, il y a notre hiver, pensait-il. Et pourtant, à force de s'y engouffrer, l'Homme Perchaude finissait irrémédiablement par se complaire à voir ses oreilles rougir et le bout de ses pieds geler. Heureusement, il y avait la bière, les joints et la bière, sans oublier Salomé, sa maîtresse aux jambes longues comme un jour sans pain, et à l'esprit aussi vif que son vit pendant l'amour. Quand ces deux êtres, qui aimaient étirer l'atmosphère, entraient en contact, l'air se raréfiait au point de leur faire perdre leurs repères. Étourdis, ils descendaient une autre « king can ». Lorsqu'ils s'enivraient, c'était, disaient-ils, parce que le soleil ne les réchauffait plus assez. Ils avaient peur de voir leurs chairs tomber et de n'être qu'une masse musculaire en lambeaux. À quand la grande orgie ? Comment baiser l'Absolu sans perdre sa vertu ? Pourquoi supporter l'attente alors que tout finit dans la grande absolution ? Telles étaient leurs grandes incertitudes existentielles.

Plus l'hiver s'éternisait et plus ils s'évertuaient à ne rien bousculer, se contentant de pénétrer les seuils de portes déjà ouvertes. Nomades dans leur lit, leurs têtes enfumées d'ivresse et leurs sexes collés à leurs caresses, ils ne redoutaient qu'une choses : que la Thérapeute soit mise au courant de leur relation. Pourtant, ils aimaient à s'imaginer cette dernière fière et altière, assez du moins pour qu'ils n'eussent pas à culpabiliser de la savoir seule à Bébec.

Un matin de cet hiver mémorable, paralysée sur la banquette du métro de Montrivial, Salomé avait craint de voir la Thérapeute reprendre sa domination sur l'Homme Perchaude dans l'éventualité où elle serait mise au courant de leur idylle. Pour éloigner ce mauvais pressentiment, Salomé s'était allongée au milieu du Wagon, parmi les bottes et les shoeclaques et avait accueilli entre ses seins le sexe de l'Homme Perchaude tout en riant à gorge déployée. Juste avant la dépression postcoïtale de celui-ci, elle lui avait fermé les yeux, afin qu'il ne la voie pas mendier quelques pièces de monnaie aux passagers, stupéfaits.

Leurs ébats terminés, tous deux avaient ressenti la douleur de ceux qui SAVENT ! Ce savoir instinctif et viscéral, ce vouloir-vivre au-delà de l'ennui et de la grande castration n'avait pas été des plus rassurants, mais c'était assurément le bien le plus précieux qu'ils pouvaient partager en période de latence. Ils avaient éprouvé la durée, ils avaient senti la seconde les traverser. De l'ennui au délire, il n'y avait qu'un pas, et ils l'avaient souvent franchi. Se berçant au son de l'ivresse, ils s'éclataient à tout coup. Ils riaient à n'en plus finir de ces REER qui donnaient à la Thérapeute l'illusion de jouir. Trente ans et toutes leurs dents, Salomé et l'Homme Perchaude flirtaient toujours avec l'immoralité. Leur décision était prise ! En fait, elle était prise depuis fort longtemps sans qu'ils en aient été pleinement conscients : vivre au-delà de la contrainte, faire de la précarité une richesse inestimable, laisser l'anxiété future au futur et ne prendre que ces gouttes de présent qui les faisaient exister à travers l'angoisse, voire au-delà. De leur première rencontre dans une cabine privée de la Calèche du Sexe à leur dernière séance d'exhibitionnisme dans le métro de Montrivial, sans oublier leur première nuit d'amour à l'appartement de la rue De Bouffon, ils ne voulaient qu'une chose : revivre jusqu'à l'épuisement total ce vertige vital qui leur manquait tant adolescents.

Sur ces dernières images, l'Homme Perchaude entendit enfin les gémissements de Salomé, qui tentait de le tirer de son délire nostalgique. Agenouillée au pied d'un immense chandelier dont les quatre pattes en fer forgé formaient des têtes de gargouilles, son apprentie sorcière geignait d'une voix rauque, tout en s'excitant l'oracle à l'aide de son fameux cylindre argenté à tête de pigeon en acier trempé. Le mouvement de va-et-vient du cylindre entre ses lèvres aidant, elle montait la voix d'une octave à chaque sortie du pigeon. Continuant son manège, elle vint s'allonger à ses côtés et commença à lui masser l'abdomen de sa main libre. Son regard se fit plus inquiétant tandis qu'elle amorça une longue et intense fellation. Le pigeon vibromasseur ne tarda pas à migrer de son vagin à sa bouche en passant par l'anus du mutant. S'empalant finalement au sexe de l'Homme Perchaude comme une déchaînée, et à force de se projeter trop brusquement vers l'arrière, Salomé finit par provoquer une foulure pénienne. La douleur fut atroce. Cela redonna encore plus de vigueur à Salomé. Elle reprit donc son petit manège après avoir introduit une aiguille à coudre dorée tout le long de la verge de l'Homme Perchaude. Le phallus complètement engourdi par la souffrance, celui-ci se surprit à y prendre plaisir. Au moment où il allait jouir, la voix d'Outretombe du Tatoueur résonna dans le placard de la chambre :

Je lui mange ses anticorps ------ pénètre jusqu'à l'origine qui sent le fromage ------ le clitoris de la Fée des étoiles saigne entre mes dents ------ dilue ses désirs dorés dans l'eau de lèvres.

Conditionnée par ces paroles, Salomé expulsa de son vagin la verge tuméfiée de l'Homme Perchaude et lui plaqua son sexe sur la bouche. Plus il mordait et plus le flot urinaire de Salomé s'accroissait, plus nos deux amants se désiraient. Puis, le flux de leur amour devint si important que l'Homme Perchaude se trouva au bord de l'étouffement. Les poignets collés au matelas par Salomé et les chevilles immobilisées par le fantôme du Tatoueur qui s'était mis de la partie, il commençait à se faire à l'idée d'être le premier amant noyé par un *golden shower*. Alors qu'il perdait peu à peu la vision et que ses lèvres se désensibilisaient progressivement sous la pression soutenue du vagin-assassin, la voix de Salomé se fit mirage :

Si tu n'avais pas si soif ------ tu comprendrais ------ star de moitié de vie ------ star de moitié de rêve ------ and pourquoi pas let's go get drunk tonight.

L'Homme Perchaude avait bu et rebu à même la fente infinie qu'il aimait tant. Il avait eu beau uriner jusqu'à s'en fendre l'urètre, son débit n'était pas arrivé à évacuer le flot jaunâtre et permanent qui s'était écoulé des lèvres urbaines de Salomé. Le nectar acide de cette dernière était sur le point de faire éclater la vessie de l'Homme Perchaude. Et pourtant, il était là, paisible, à se laisser bercer comme un enfant par la voix douce et envoûtante de Salomé :

Everybody has to loose a day ------ moitié de vie ------ moitié de rêve ------ que fais-tu ?

L'Homme Perchaude attendait entre deux flots d'urée que cesse la torture aquatique. La tête martelée comme une enclume, il avait l'impression de s'être fait la face à coups de « téquila paf ». Salomé n'en continua pas moins à discourir de manière apparemment incohérente :

Et je te caresse encore avec mes doigts cassés ------ avec de l'huile verte pour un repas baryté ------ pour fournir les pièces à mesure ------ du blanc plein les yeux ------ mille petits ballons dans le cerveau ------ et les pectoraux tressaillent ------ la gonflette s'insinue ------ pour détruire toutes les radicales-libres.

Saoulé d'urée et fidèle à sa narcolepsie, l'Homme Perchaude eut tout juste le temps de délirer sa douleur avant de perdre conscience au moment même où commença la copulation mortuaire entre Salomé et le fantôme du Tatoueur.

« Putain LSD transpercée de clitoris d'acier ------ lèvres fendues jusqu'au nombril ------ l'amour laboure la vulve allusive ------ et décape la verge corrosive ------ Ouverte à tous, pendue à leurs housses ------ ton nom éclate en mille prénoms ! »

L'odeur d'urine frelatée le sortit lentement des bras de Morphée. Au premier coup d'œil, il vomit toute sa bile : Salomé, la femme qu'il avait secrètement désirée, était là, au fond du placard, le haut et le bas scalpés, les membres éparpillés aux quatre coins de la chambre. Le crâne d'une des gargouilles avait été remplacé par la tête de Salomé dont le front portait le même poème que celui tatoué en d'autres circonstances sur le périnée de la bourgeoise catatonique. Le fantôme du Tatoueur se décrocha du plafonnier et finit sa chute empalé au chandelier, la fleur du Lys entre les dents. Cette fois-ci, l'Homme Perchaude vomit toutes ses tripes et décida de quitter la ville, sans demander son change. Il avait besoin de prendre un *break*, un « criss » de gros *break*, histoire de prendre du recul et d'en apprendre un peu plus sur le meurtrier de Salomé. Il déguerpit sur-le-champ.

Durant le trajet Montrivial-Grand Remords, l'Homme Perchaude ressentit une fatigue extrême à la limite du *burn-out*. Las et découragé, il entendait et réentendait les paroles de Cruise Away et du Poète Canapé l'encourageant à aller de l'avant en faisant définitivement le deuil de Salomé dont l'esprit planait à son tour au-dessus du Pays Incertain. Il savait que c'était grâce à leur verbe qu'il avait pu sortir de son deuil déférendaire et reprendre le flambeau des sans-pays. Au volant de son antiquité japonaise, récemment convertie en cabriolet, tout cela lui semblait déjà bien loin. Depuis sa rencontre avec Cruise Away et sa renaissance en compagnie du Poète Canapé au sommet du mont Jovial, il n'avait toujours pas eu le courage de réinvestir les tribunes populaires, comme il l'avait si bien fait à Montrivial avant la défaite du 30 octobre 1995. Il avait tout juste eu le temps d'assister aux suicides de ses deux pères spirituels, d'étrangler un tatoué pédophile et de se faire pisser dessus par une sorcière *topless* à l'aiguille agile, avant de prendre la fuite devant une telle hécatombe. Les yeux rivés sur la ligne blanche, l'Homme Perchaude aurait bien passé le flambeau à sa descendance. Mais pour l'instant, le berceau était vide. Et pour cause. Jamais, au grand jamais, il n'avait voulu que la Thérapeute soit la mère de son rejeton. Il avait toujours eu la nausée juste à penser que la Thérapeute puisse reporter son attention sur une personne autre que lui. Voilà, entre autres, pourquoi il continuait à porter son collet roulé même lorsqu'il faisait l'amour à la Thérapeute. Ainsi pensait-il éloigner le danger.

Le 2 novembre au soir de l'an de grâce 1996, sur la route depuis déjà quatre heures, arrêtant seulement pour faire le plein de caféine, et toujours hanté par les fantômes de Cruise Away, du Poète Canapé et maintenant du

Tatoueur et de Salomé, l'Homme Perchaude arriva au lac du Grand Remords, où était situé le chalet de sa bien-aimée, avec l'espoir de tout recommencer à neuf. Il allait tout faire, afin de réactiver le syndrome de l'infirmière pour ainsi pouvoir bénéficier de l'amour et des bons soins de la Thérapeute.

MUTATION ŒDIPIENNE : muta-tion n. f. (lat. *mutatio* de *mutare,* changer). BIOL. Apparition dans une lignée végétale, animale ou humaine de caractères héréditaires nouveaux, par suite d'un changement dans la structure des chromosomes. **Œdi-pien,** enne [edi-] adj. PSYCHAN. Relatif au complexe d'**Œdipe** [edip] n. m. Attachement sexuel au parent de sexe opposé et haine à l'égard du parent de même sexe considéré comme un rival.

Pour qu'il y ait mutation, il faut qu'il y ait reproduction. Et qui dit reproduction dit gestation. Le rôle de la mère, sans toutefois nier celui du père, est donc primordial. Car le mutant se heurtera probablement dès sa naissance ou même pendant sa vie utérine aux visées maternelles d'inté-gration, de normalisation et d'assimi-lation. Chez l'enfant mutant, le meurtre de la mère va prendre une signification beaucoup plus impor-tante que le meurtre du père. C'est ce qui lui permettra de lever l'un des derniers obstacles l'empêchant d'aller jusqu'au bout de sa mutation. Si l'enfant mutant consultait aujourd'hui l'Oracle de Delphes, la Pythie lui déclarerait : « Va-t-en, misérable, éloigne-toi de l'autel ! Car tu tueras ta mère et sodomineras ton père ! »

Le matricide commis par l'enfant mutant vise en fait à renverser les conséquences du parri-cide perpétré par Œdipe. Contrai-rement à Œdipe imitant Sisyphe, l'enfant mutant veut substituer au patriarcat anémique un matriarcat énergique pour que la descendance se fasse de mère en fille. Ici, c'est la reine Jocaste qui tue symboliquement son mari, le roi Laïos, en le chassant de la cour. Œdipe ne sodominise plus sa mère mais bien son père. Il lui fait l'amour par procuration en partageant le lit d'une de ses maîtresses, qui est en réalité sa propre sœur, fille de Jocaste et de Laïos. Œdipe-Électre n'a donc plus d'autres choix que de tuer Jocaste et sa sœur, afin d'être le seul élu dans le cœur de son père.

Tirésias des temps modernes s'il en est une, la maîtresse commune au père et au fils est celle qui rend doublement visible l'inceste. Cette visibilité mène finalement à sa perte Laïos, suicidé-empalé, tandis qu'Œdipe se crève invariablement les yeux avec, cette fois-ci, l'aiguille dorée que sa sœur lui avait insérée dans la verge juste avant de mourir démembrée. N'ayant plus la possibi-lité, comme dans le mythe originel, d'être guidé par sa fille Antigone pour pallier sa cécité, il ne reste plus à l'Œdipe moderne qu'à se reproduire comme tout le monde avec une femme qui ne soit ni sa mère, ni sa sœur. L'enfant à naître de cette union pourra alors inverser à son tour la dynamique œdipienne. À moins qu'il ne naisse hermaphrodite et ne commette simultanément, dès sa nais-sance, le double meurtre du père et de la mère, reprenant ainsi la mutation là où ses géniteurs l'avaient aban-donnée. Ce double meurtre annulerait donc la mutation œdipienne, non pas pour revenir à l'Œdipe classique, mais bien pour en sortir. Libre de

toutes attaches, l'enfant mutant pourrait alors jouer le double rôle du père
et de la mère auprès des orphelins du
Pays Incertain.

IV. La Démembreuse

Devant vous, inlassablement, le Lys se dévoile, laissant s'envoler de son calice le quatrième pollen d'acide. Contaminé par ce dernier, l'arbre généalogique perd toutes ses feuilles et ses branches, vous laissant voir ainsi la Démembreuse sculptée à même son tronc par le Tatoueur. En observant la sculpture généalogique de plus près, vous remarquez l'attention portée aux cheveux bruns permanentés de la Démembreuse ainsi qu'à sa fine moustache de rat musqué et à son dentier de fer rouillé. Le volume de ses seins, de son ventre, de ses cuisses et de ses fesses est si impressionnant que vous avez de la peine à distinguer les différentes parties de son anatomie.

À l'instant, vous sentez le sol vibrer sous vos pieds. La sculpture de la Démembreuse s'est mise à bouger. Ne paniquez pas, vous ne l'intéressez pas. Tout ce qu'elle veut, c'est retrouver son fils, l'Homme Perchaude, afin de finir ce qu'elle avait commencé avec ses propres parents : le grand démembrement de la famille incertaine et dysfonctionnelle. Ayant réussi à donner à son fils un environnement familial des plus malsains, il était hors de question, tradition familiale oblige, qu'elle laisse son fils tenter l'inverse avec la Thérapeute.

Pensez-y bien avant de vouloir vous mêler de cette lutte à finir entre une mère d'antan et son fils mutant, car vous pourriez changer le cours de la mutation. Et Dieu seul sait où cela pourrait vous mener, cher lecteur.

* * *

La situation ne s'était toujours pas améliorée au Pays Incertain. Aux problèmes politiques s'étaient ajoutés les revers économiques ayant culminé avec l'incroyable déménagement aux États-Maudits de l'équipe de hockey Les Torieux de Montrivial, une hausse effarante de la consommation de drogues dures et du taux de suicide chez les jeunes, et l'augmentation exponentielle des cas de violences conjugales. C'est dans cette atmosphère de fin de siècle que l'Homme Perchaude tenta de regagner l'amour de la Thérapeute.

Lac du Grand Remords, le 10 novembre 1996, trois heures du matin. L'Homme Perchaude était au repos depuis plus d'une semaine, tentant, tant bien que mal, d'oublier la fin atroce de Salomé et de rallumer la flamme amoureuse de la Thérapeute. Vêtu de son Speedo jaune fluo, la boule à zéro, il nageait sur le dos. Dix minutes auparavant, pris d'une crise d'ennui à l'intérieur du chalet de la Thérapeute, il avait traîné son cri primal de la chambre au salon. En désespoir de cause, il avait fait le grand saut du balcon au bas-fond. La chute amortie par l'eau frôlant à peine les dix degrés Celsius, il avait nagé jusqu'à l'épuisement total avec l'image de la tête de Salomé accrochée au chandelier. Il était maintenant rendu au milieu du lac, complètement lessivé et alourdi par son collet roulé imbibé d'eau, alors que les muscles de ses bras et de ses jambes se durcissaient progressivement. Ce fut la minute de vérité. Allait-il continuer ou faire demi-tour ? Les lèvres bleu-mauve lui indiquaient un début d'hypothermie. Le rythme de sa respiration se faisait plus rapide, l'eau glaciale lui coupait le souffle. Entre deux remontées sous-marines, il aperçut la Thérapeute au balcon qui lui souriait sans se soucier de sa situation. Allait-il continuer ou faire demi-tour ? À chaque remontée, il voyait la Thérapeute apparaître sous une personnalité différente : meneuse, résignée, amoureuse, vantarde, indifférente, partouzarde, achalante, généreuse, possessive, envieuse,

excessive... Allait-il continuer ou faire demi-tour ? Les
remontées étaient de plus en plus pénibles. Il voyait
toujours au balcon une femme, mais cette fois-ci, il découvrit, atterré, qu'il ne s'agissait plus de la Thérapeute mais de
la Démembreuse ! Il continua avec la conviction qu'il était
victime d'hallucinations. Malgré son manque évident
d'énergie, il nagea avec acharnement, le cœur au bord des
lèvres, espérant atteindre l'autre rive. Parfois, il osait
regarder en arrière et à chaque fois il reconnaissait au balcon
sa mère, la Démembreuse. Il ne savait plus s'il devait continuer vers l'autre rive ou revenir au chalet. « Pourquoi faire
demi-tour, puisque le point de non-retour est atteint ? » lui
répétèrent en chœur les fantômes de Cruise Away, du Poète
Canapé, du Tatoueur et de Salomé. « Dans un sens comme
dans l'autre, il y a la même distance à nager. Échec pour
échec, il vaut mieux périr à l'aller plutôt qu'au retour »,
ajoutèrent-ils. Incapable de trancher, l'Homme Perchaude
se laissa couler.

Durant sa noyade, l'Homme Perchaude rêva comme il
avait l'habitude de le faire quand la situation se corsait. Il
rêva au long retour à la source amniotique. Il y vit sa mère,
la Démembreuse, naître, une nuit bien arrosée, sur une
table de *pool* à l'angle des rues de L'Échafaud et des
Misères. Puis toute la vie de celle-ci se mit à défiler dans sa
tête.

D'heure en heure le père de la Démembreuse voyait
chuter la valeur de ses actions à la Bourse de Chosemont en
buvant une bière tablette, la queue de billard entre les
jambes. Sa femme perdit les eaux, couchée sur le tapis vert
entre la blanche et la noire, puis éjecta négligemment le
nouveau-né de la vie utérine par une nuit caniculaire de l'an
1929. Choqué par la scène, le tavernier les expulsa tous trois
de son établissement, non sans accepter le cigare au chou
que lui offrit la mère.

La Démembreuse ne put jamais, par la suite, exorciser le Krach amoureux de ses géniteurs. Très jeune, elle dut faire des ménages à Outretombe, afin de tenir à flot ses parents en état de dépression chronique depuis sa venue au monde. Le jour, vêtue de son ensemble noir, la Démembreuse se dévouait corps et âme pour les familles bien nées d'Outretombe, frottant et astiquant toutes les traces d'opulence qui viciaient l'air aseptisé de leurs demeures. Le soir, drapée d'une étoffe blanche javellisée, elle racontait avec fierté à ses parents attachés à la tête du lit les hauts faits de ses maîtres. Les parents ne pouvaient s'empêcher de mettre fin aux histoires de leur fille en lui répétant avec sérieux que, à trop les vénérer, elle finirait par mourir d'une maladie vénérable. Et la Démembreuse leur répondait en leur ôtant successivement un osselet de la colonne vertébrale.

Chaque jeudi après-midi, la Démembreuse allait chercher à la boucherie de quoi nourrir ses parents. Deux osselets lui donnaient invariablement droit à une livre de steak haché emballée dans du papier ciré d'un brun douteux et à une langue de porc bien vinaigrée que le Boucher lui glissait sous le bras. Elle l'aimait beaucoup, son Boucher, bien que, pendant un certain temps, elle n'avait pas été capable de croiser son regard. Ce qui la fascinait chez lui, c'était sa tendance à courber les épaules de jour en jour. Quand il avait ouvert sa boucherie en 1945, il mesurait six pieds deux pouces. Douze ans plus tard, il ne mesurait plus que cinq pieds deux pouces. À force de porter sur ses frêles épaules d'immenses quartiers de bœuf du Pays Artificiel, il avait perdu en moyenne un pouce par année.

Le processus fut stoppé le jour où les bœufs n'arrivèrent plus entiers mais débités et emballés sous vide. Bien que le Boucher ait enfin vu sa décroissance s'arrêter à trois pieds deux pouces, il se tapa le *burn-out* des *burn-outs*. Ne pouvant s'imaginer sans son étole de bœuf autour du cou, il céda au désarroi. Un jour, en pleine crise dépressive, il demanda à la Démembreuse de le regarder droit dans les yeux et l'invita dans la chambre froide.

À l'intérieur, la Démembreuse découvrit deux sculptures viandesques montées sur les osselets de ses parents et qui les représentaient à l'époque glorieuse où ils régnaient sur la Bourse de Chosemont. Émue par une telle marque d'attention à l'égard de sa famille, la Démembreuse s'enroula le Boucher telle une écharpe de bison et l'emmena au zoo de Granby saliver devant le dernier couple bovin sauvé des abattoirs du Pays Artificiel.

Les parents de la Démembreuse se serrèrent les fesses pour accueillir dans leur lit le petit gros et ses deux sculptures, le jour où leur fille décida de le prendre sous son bras. C'est donc couché dans le lit des beaux-parents et attaché à sa tête que le Boucher convola en justes noces.

Son récent mariage ne rendit pas la Démembreuse des plus heureuses. Elle se rendit compte, assez rapidement, que l'effet bœuf n'avait pas seulement affecté la taille générale de son Boucher mais aussi celle de son organe reproducteur. De plus, le Boucher semblait préférer les félins aux humains. À plusieurs reprises, elle le surprit la nuit dans la ruelle, à quatre pattes, le sexe à l'air, en train de courir après la chatte du voisin.

Après maintes lunes de miel avortées sous le regard bienveillant de ses parents, la Démembreuse décida de prendre comme amant le Tatoueur. La chose se fit assez facilement et sans scandale. Elle l'avait rencontré au printemps. Occupé à tatouer de la verdure sur l'asphalte des rues des Misérables et du Petitpain, il l'avait vue marcher d'un pas léger et enjoué. Ce fut le coup de foutre. Ils avaient fini tous deux encastrés dans un étrange mélange de bitume et de tourbe. Elle, complètement saoulée de sa semence, et lui, totalement déshydraté de sa substance. Le Boucher n'ayant pas réussi à déflorer sa dulcinée, étant donné sa courte portée et ses tendances zoophiles, le Tatoueur avait transpercé, sans aucune forme de délicatesse, l'hymen de la Démembreuse à l'aide d'un cierge pascal volé en spécial à la boutique de la basilique du Frère Castré. Dès lors, le Boucher continua de lui attendrir le corps, tandis que le Tatoueur s'occupa de la pénétrer sans répit.

Un jour, dans un ultime élan de séduction, le Tatoueur tatoua un tapis de neige compact sur toute la longueur du boulevard Chosemont, afin d'emmener la Démembreuse faire un tour sur le véhicule que lui avait offert les Mou-Mous en *skidoo* au moment de sa fuite au Nouveau-Pays Incertain. C'est donc au volant d'une Harley-Davidson *Special Edition* 1974, transformée par les Mou-Mous en *chopper skidoo*, qu'il s'était assuré de la loyauté de la Démembreuse. À la vue de l'engin, cette dernière sut qu'elle se dévouerait corps et âme au Tatoueur comme elle l'avait toujours fait jusque-là pour ses maîtres outretombais.

Les mois passèrent, et le Tatoueur en demandait toujours davantage à la Démembreuse. Non content de lui prendre les trois quarts de sa paie, il faisait tout pour la culpabiliser quand elle lui refusait certaines faveurs. C'est ainsi que, le fouet entre les dents, la Démembreuse se retrouva à forniquer avec ses maîtres, permettant de cette façon au Tatoueur de les faire chanter, photos en mains. Le Tatoueur savait être persuasif. Il n'hésitait jamais à se servir d'une rhétorique revancharde à des fins personnelles :

« Dédé, tu sais très bien que les revenus de tes maîtres sont gagnés sur le dos des nôtres et servent, entre autres, à améliorer les infrastructures municipales d'Outretombe. Même tes parents en ont fait les frais en 29. Tu ne crois tout de même pas que les sommes d'argent qu'ils ont perdues, le furent tout simplement à cause du krach boursier. Sinon, comment expliquer qu'il y eut plus de Chosemontois suicidés que d'Outretombais assassinés ? Allez, un peu de courage, pense à tes parents qui ne s'en sont toujours pas remis. Si ça peut t'aider, imagine que c'est moi qui te baptise lorsque tes maîtres outretombais te souilleront de leurs liquides jaunâtres. Et rappelle-toi le poème que je te lis chaque nuit, les bras en croix au pied du lit : *Les chiens magiques de la communauté ------ nous défendront contre le gluant couteau politique ------ et pour celles qui nous tendent leurs seins ------ quand nous souffrons d'abréviations circulatoires ------ pour celles-là ------ un gros singe masse la laveuse de sirop d'érable ------ et meurt avec nous dans son étui à crayons ------ TOUT À COUP GOÛT D'AIR MÉTALLIQUE ------ une femme qui me touche partout ------ signe pour moi : ------ l'ascenseur rapetisse et vous change l'urètre en plastique ------ la densité explose.*

Cependant, tout bascula quand le Tatoueur traversa avec elle, en *chopper skidoo*, le pont séparant les Outretombais des Chosemontois. La Démembreuse décrocha. De voir le Tatoueur abuser avec un tel naturel de la juvénilité des Outretombaises l'avait fait fuir bouche bée, sans demander son reste, complètement traumatisée par les dérapages pédophiliques du Tatoueur.

Heureusement pour la Démembreuse, le Boucher était toujours là, coincé entre le beau-père et la belle-mère dépressifs, prêt à lui glisser sous le bras une langue de porc bien vinaigrée faisant office d'anxiolytique. En guise de remerciement, elle lui permit, un soir, de quitter le lit familial et de l'emmener, en catimini, à son bloc de marbre, afin qu'il lui fît un cours pratique sur le grand démembrement, au cas où le Tatoueur réapparaîtrait inopinément. Juché sur un très haut tabouret et muni d'un couteau comme on en voit seulement dans les films de série B, le Boucher décapita méthodiquement un cheval vivant qu'un de ses collègues, amateur de country, lui avait ramené en douce de Saint-Pitre. Il commença par la tête, qu'il coupa en travers d'un seul coup, puis passa à une épaule, à un jarret, et, finalement, à la queue. La Démembreuse comprit la leçon. Elle prit son mari de boucher sous le bras, le ramena à la maison et le rattacha à la tête du lit, entre la belle-mère et le beau-père.

Le printemps arriva. À l'angle des rues des Misérables et du Petitpain, deux syllabes restaient suspendues au-dessus des passants : Dédé, Dédé, Dédééééééééééééééééééééééééééé ééééééééééééééééééééééééééééééééééééDédé, Dédé, Dédéééééééé éé. La Démembreuse et le Tatoueur se retrouvèrent dans un tête à queue dont les sexagénaires du quartier parlent encore aujourd'hui. Malheureusement pour la Démembreuse, ce tête à queue se poursuivit par une rencontre des basses-muqueuses. Elle tomba enceinte. À l'annonce de la bonne nouvelle, le Tatoueur lui tatoua une fine moustache et l'édenta sauvagement à froid, afin de s'assurer qu'elle n'aille pas attirer la convoitise des autres mâles du quartier.

La Démembreuse se peroxyda la moustache, tout en essayant, tant bien que mal, d'arrêter l'hémorragie buccale qui n'avait pas cessé depuis la crise d'insécurité du Tatoueur. Ce dernier avait bien tenté de se faire pardonner en lui tatouant un joli dentier en fer rouillé. Ce fut peine perdue ; le sang continuait à couler de sa bouche. Seul le Boucher la soulagea un peu en lui appliquant sur les gencives une langue de porc bien vinaigrée, tout en maudissant le sadisme du Tatoueur, mais sans jamais tenter le moindre acte de représailles.

Tout au long de la grossesse, le Tatoueur laissa la Démembreuse entre les mains de ses parents et de son étole de mari. Cependant, plus les semaines s'écoulaient et plus le Tatoueur devenait sombre et taciturne. Le Boucher perçut dans son regard une goutte de sueur reflétant la cruauté à venir. Il eut beau faire part de ses appréhensions à la Démembreuse, rien à faire, elle persistait à croire que la jalousie le faisait « paranoïer » et qu'il s'en remettrait. Elle allait le regretter amèrement le 6 juin 1966.

Dans le lac, en train de se noyer pendant que la Thérapeute regagnait l'intérieur du chalet, l'Homme Perchaude ne put se rappeler ce jour fatidique. Le sixième jour du sixième mois de l'an de grâce 1966 ne lui disait absolument rien. De quoi l'Homme Perchaude avait-il peur ? Pourquoi n'arrivait-il pas à rêver cette journée fatale ?

Coulant plus profondément dans le lac, il passa outre le jour du 6 juin 1966 et poursuivit le rêve de son enfance à l'époque où les mains expertes de la Démembreuse lui frictionnaient vigoureusement la poitrine avec de la moutarde forte, les bras et les jambes avec de l'Absorbine Junior et le sexe avec de l'huile d'olive. Pendant cette période, où le Tatoueur fut refoulé plus d'une fois du logis familial par la Démembreuse armée de sa paire de pince-monseigneur, l'Homme Perchaude écouta sa mère lui parler du bien et du mal, de ce qu'il fallait entendre et ne pas entendre, de ce qui se disait et ne se disait pas, de ce qui se faisait et ne se faisait pas.

Chaque mois, elle lui disloquait une épaule, un poignet, un genou ou une cheville. Fière de son œuvre, elle le baptisa Grand Démembré. Malléable à souhait, le corps asymétrique et l'articulation apolitique, l'Homme Perchaude fut dressé par sa mère pour faire face à tous les grands démembrements du siècle. Tel un pantin, il fut formé pour suivre le Grand ordonnancement du tout-et-n'importe-quoi. « Un jour, ce sera ton tour », lui répétait inlassablement la Démembreuse, l'air rassuré. Ces incantations magiques avait partiellement prise sur son délire. Jusqu'au Boucher qui le conditionnait au tout-et-n'importe-quoi en lui répétant sans cesse que la relation du Tatoueur avec sa femme ne l'avait jamais incité à se séparer d'elle. « Vaut mieux le statu quo que de se retrouver libre mais seul et sans une épaule pour être soutenu », lui répétait-il. La confidence du Boucher lui avait laissé imaginer que l'étranger régulièrement chassé par sa mère était peut-être plus qu'un étranger pour cette dernière. Le temps passa, et l'Homme Perchaude finit par oublier l'existence du Tatoueur.

Enfoncé presque au fond du lac, l'Homme Perchaude continuait à rêver à la Démembreuse. Mais à l'instant où il toucha le fond, les poumons remplis d'eau, il rejeta avec l'énergie du désespoir ces images de fils démembré, de grands-parents névrosés nécrosés, de mère maniaco-agressive, de pôpa boucher-dominé, de tatoué-sanctifié. Il rêva à la place le mélange des genres, la confusion des contritions, la grande gibelotte, les patates pilées fourrées au jambon haché dans du pâté chinois relevé aux petits pois. Il rêva l'ultime travestissement du sacrement : un père bicéphale à la fois taché de fierté empruntée et amputé de son sexe-misère, un tatoueur psychotique dissertant entre deux joints sur l'ontologie poétique des Mou-Mous en *skidoo*, un avaleur d'absolu à la recherche de la double vie et de la double mort, de la double délivrance et de la double souffrance.

Durant son enfance, l'Homme Perchaude était parvenu à entrevoir son avenir. Il s'était vu nager au fond du Saint-Rampant avec l'envoûtante Perchaude Anthropophile et avait déjà visualisé les danses gothiques de Salomé. Puis, il s'était fait à l'idée que sa Chapdelaine urbaine répondrait au nom de la Thérapeute. Grâce à elle, il pourrait fuir les courants mères, exorciser la matrice traumatisée et ainsi supporter la compression subite de ses émotions.

Le rêve tirant à sa fin ainsi que sa vie, l'Homme Perchaude se mit à souffrir du rhumatisme des petits saint-jean papistes. Voyant la Démembreuse allaiter une fillette dont les fesses était tatouées d'une chenille en métamorphose, il comprit l'affreuse réalité : la maîtresse, qui, par amour, lui avait fait traverser les limites de la douleur physique, était en réalité sa sœur. Si, de son vivant, Salomé avait fait souffrir physiquement l'Homme Perchaude pour se venger de la peine qu'il lui avait faite en lui préférant la

Thérapeute, maintenant morte, sa vengeance se poursuivait en lui dévoilant par le rêve leur lien de parenté. La propagation rhumatismale fut aussi rapide que violente. Le bâton du berger entre les mains et guidé par le fantôme de Salomé, il frappa en rêve la Démembreuse au bas du dos. Et il frappa encore et encore, jusqu'à ce qu'elle lui demande grâce à genoux. Rien à faire, même dans ses rêves, elle s'entêtait à sauver les apparences. En tenant tête à son fils, elle continuait, en fait, à renier sa fille Salomé :

« On me remonte périodiquement la vessie. On me bétonne exceptionnellement la colonne. On me sculpte fièrement la hanche. Démembrée, je survis à mon démembreur démembré. J'AI FAIM DE SES LAMENTATIONS et le purge de ses névroses lactées en m'agenouillant pour l'ultime tabernacle sur le tapis en minou de ma fille indigne. JE MANGE LA CHENILLE et me prosterne aux pieds de Salomé. Je fais glisser sa Fermeture Éclair et, tel un chirurgien imbu d'amputation, j'imperfore l'avenir du papillon. J'AI FAIM DE COMPASSION ! Je suis une mère en exil dans sa propre famille, où JE REJOUE PÉRIODIQUEMENT L'INFANTICIDE ORIGINEL. »

Contrarié de l'entendre discourir en Grande Démembreuse volontaire même dans ses rêves, il lui disloqua la mâchoire inférieure, ce qui la fit taire et la laissa définitivement par terre. Sur les mains, la Démembreuse dormait du sommeil des morts. Un cierge désabusé lui éteignit le sommeil. L'autel était le lit sur lequel elle visualisa le dernier éclat de vie de Salomé métamorphosée en chouette parfumée à l'eau bénite, courant sur un testicule, l'anus au vif. Angoissée par ses absences et la fleur du Lys entre les seins, la mère de Salomé et de l'Homme Perchaude posa en silence et attendit la dernière transe. Sentant la mort venir, l'Homme Perchaude laissa, non sans une pointe de culpabilité, l'esprit de la Démembreuse s'échapper de son rêve et planer avec celui de sa fille, Salomé, au-dessus du Pays Incertain.

Le rêve terminé et son âme prête à rejoindre les autres pour survoler le territoire incertain, l'Homme Perchaude se fit voyant :

« L'enfant martyr, déjà né dans son nouveau cercueil, retrouve sa mère artificielle pendue à son linceul. Son père incertain, mutant d'un pays plusieurs fois sodominé, rénove son duplex en latex et habille son incestueuse maîtresse d'un tailleur Coco porno, alors qu'au sous-sol un premier ministre, travesti en illusionniste unijambiste, amuse l'enfant martyr en achevant une citoyenne incertaine à la cuisse molle et à la langue pâteuse. L'instrument entre les cuisses ------ demain matin ------ dans un garage carbonisé ------ sourira aux voisins ------ une indéférentiste désabusée. »

Bouleversé par ses dernières visions, l'Homme Perchaude se redressa d'un trait, la tête hors de l'eau et les pieds touchant le fond du lac. Debout, à mi-parcours, la sensation était étrange. Tout le long de sa traversée, il ne s'était pas rendu compte que ce lac immense n'excédait pas un mètre cinq de profondeur. À cinq secondes de la fin, le matricide fantasmé, le réflexe de survie l'avait remporté. Courbé comme un roseau au milieu de ce vaste plan d'eau, il ne voyait pas réapparaître la Thérapeute au balcon.

De retour au chalet, frigorifié, il entendit des pleurs à la limite de la rage. Les yeux cernés jusqu'au menton, elle le dévisagea. Il eut l'impression d'avoir commis tous les péchés du monde. Elle finit par lui donner un verre de Chivas Regal, tout en lui frictionnant le corps de manière à favoriser la circulation sanguine. Sous la douche bouillante, ils firent l'amour comme deux amants séparés depuis trop longtemps avec la volonté d'oublier sa baignade-suicide. Toujours vêtu de son collet roulé, l'Homme Perchaude vit disparaître sa verge au fond de la gorge thérapeutique, juste après qu'il eut demandé à la Thérapeute si sa mère était venu les visiter pendant sa noyade. Poursuivant les préliminaires, il avala l'intérieur du sexe de la Thérapeute au moment où elle lui répondait, abasourdie, que sa mère était morte avec le Boucher depuis déjà un bon nombre d'années, tous deux ayant été retrouvés nus dans la ruelle, le corps entièrement recouvert de morsures de chattes et tatoué d'obscénités tirées des écrits du Marquis de Sade. Le sexe de l'Homme Perchaude transita finalement de la gorge thérapeutique à la vulve analgésique, la faisant gonfler d'orgasmes improbables. Perdu entre ses cuisses d'amazone, sa chute de reins le retint. Chaude comme la peau d'une femme qui se souvient et froide comme l'acier d'une lame que l'on craint, la Thérapeute s'assoupit à l'instant où une impression violente de manque s'insinuait dans la chair de l'Homme Perchaude.

Le meurtre rêvé de la Démembreuse lui rappelait douloureusement l'assassinat de sa sœur Salomé. Le souvenir d'une sœur au rire franc et à la parade bandante s'emparait sauvagement du peu de retenue qui lui restait. Nostalgique, il s'ennuyait de l'intensité des étreintes de feu Salomé. Malgré toute la fougue de la Thérapeute, il n'arrivait pas encore à oublier la violence de Salomé et ses mouvements de bassin cherchant l'extase à répétition. Il se surprit en train de se masturber en ayant en tête son vagin d'enfant terrible marqué par de profondes morsures vespérales et traversé d'un anneau brûlant ; la présence hypnotisante de ses seins à la retombée invitante ; l'impertinence de ses fesses papillonnées entrouvertes au plaisir constamment refusé ; la force sculpturale de ses épaules associée à la puissance animale de ses cuisses, contrastant étrangement avec les lèvres pulpeuses de son nord et de son sud. Obsédé, il l'était surtout par la sensation passée d'une sangsue se contractant sans retenue autour de son sexe libéré de toute contrainte familiale. Cette non-contrainte fictive était peut-être ce qui lui avait permis de fantasmer sur la présence fantomatique de Salomé avec un plaisir malsain. Si le corps de Salomé était le principal noyau de réel à partir duquel s'était tissée son affabulation érotico-névrotique, c'était que toute sa personne lui semblait avoir été conditionnée et alimentée par ce corps.

La Thérapeute dormait. À moins qu'elle ne simulât le sommeil pour ne pas avoir à affronter sa rivale devenue fantôme ? Son humeur à l'apéro fit opter l'Homme Perchaude pour la deuxième hypothèse. Après son deuxième verre de porto, il eut droit au retour du refoulé. Elle l'accusa de ne penser qu'à lui, lui, lui, lui et lui, de se foutre éperdument de ses émotions et de son avenir à elle, elle, elle, elle, et elle. Enfin, lui dit-elle, si elle n'était pas venue à son secours le matin, c'est que, depuis peu, elle s'était faite à l'idée de le voir rejoindre Cruise Away, le Poète Canapé et compagnie. Calculant le pour et le contre, elle avait dû se rendre à l'évidence : la vie lui serait meilleure sans l'Homme Perchaude. C'est pourquoi elle avait pleuré de rage après son retour inattendu. L'Homme Perchaude avait failli à la tâche. La Thérapeute était bel et bien sur la voie de vaincre le syndrome de l'infirmière.

Son amour propre en prit un coup. Il sentit le fantôme de la Démembreuse lui passer le flambeau, et décida donc de rentrer seul à Bébec avant que la Thérapeute ne devienne sa prochaine victime... la prochaine démembrée.

MUTATION PHALLIQUE : mutation n. f. (lat. *mutatio* de *mutare*, changer). BIOL. Apparition dans une lignée végétale, animale ou humaine de caractères héréditaires nouveaux, par suite d'un changement dans la structure des chromosomes. **Phallique** adj. Relatif à la forme du **phallus** [falys] n. m. (gr. *phallos*). ANTIQ. Représentation du pénis en érection, symbole de la fécondité et de la nature. PSYCHAN. Relatif au phallus en tant que s'y rapportent le désir et la fonction symbolique. *Stade phallique* : phase du développement de la sexualité infantile durant laquelle les pulsions s'organisent pour les deux sexes, autour de la fonction symbolique du phallus.

Du complexe de castration dans l'inconscient masculin au désir du phallus dans l'inconscient féminin, une seule et même chose réunit les deux sexes dès leur plus tendre enfance : la mère phallique. Si le désir de la mère est le phallus, l'enfant veut être le phallus pour le satisfaire. Chez le jeune garçon, cela peut entraîner d'étranges conséquences à l'âge adulte.

Au Pays Incertain, ceci s'est traduit par une extraordinaire mutation de l'appareil génital masculin. Ce dernier s'est distendu au niveau de l'urètre au point de voir sextupler la circonférence de ce dernier. On ne parle pas ici de l'antique homosexualité sodomite, qui n'a rien de vraiment novateur, mais d'une nouvelle forme d'homosexualité dont le caractère mutagène réside dans la capacité du canal urinaire d'un des partenaires sexuels à accueillir le phallus de l'autre. Certains homophobes notoires ont fait courir le bruit que cette mutation phallique avait été rendue possible, au cours des trente dernières années, par le nombre croissant de prélèvements au coton-tige effectués à l'intérieur de l'urètre de patients gay, afin de confirmer ou d'infirmer une chlamydia, une gonorrhée ou tous autres types d'urétrite. Il n'en est rien. La raison de cette mutation est plutôt liée à un dysfonctionnement affectif du couple hétérosexuel dans la communauté des Mou-Mous en *skidoo*. Mais cela est un autre mystère qui sera dévoilé au cours du prochain délire de l'Homme Perchaude.

Il importe plutôt de retenir la chose suivante. Chaque fois qu'une querelle est intervenue entre les gouvernements du Pays Artificiel et du Pays Incertain, elle était directement liée, la plupart du temps, à un malentendu de couple entre deux chefs politiques en pleine mutation phallique. Ainsi, lorsque Trou-Trou traita Bou-Bou de mangeux de *hot-pants*, il fallait comprendre que l'ancien premier ministre du Pays Artificiel reprochait à l'ancien premier ministre du Pays Incertain (ayant notamment assuré l'interrègne entre Ti-Poil et Jacques Le Grand Bourbon) de ne pas être allé au bout du processus mutagène. À savoir qui des deux avait le rôle de déflorer l'urètre de l'autre, on ne le saura jamais. Sauf si une autopsie était pratiquée sur le corps du vénérien Trou-Trou à son décès, ce qui ne saurait tarder.

V. La chevauchée homérique des Mou-Mous en *skidoo*

Le Lys s'ouvre à nouveau devant vous et rejette de son calice le cinquième pollen d'acide. Le vent se lève sous l'effet du mouvement rotatif de ce dernier et, en un dixième de seconde, vous voyez la poudrerie couvrir de neige l'arbre généalogique de la mutation pathétique. Sur ses branches enneigées, le « chaouin » motorisé file à toute allure, cadenassé au siège de son *skidoo*. Ce sauveur nouveau genre, communément appelé le Mou-Mou en *skidoo*, quadrille et requadrille l'arbre généalogique, de manière à graver ses empreintes dans l'écorce. Le moteur de l'engin en feu, vous l'observez faire fondre les strates de neige archéologiques en exécutant de superbes salto arrière, avant de le voir entrer en collision, sur une branche verglacée, avec l'antiquité japonaise de l'Homme Perchaude.

Le face à face est d'une telle violence que, par-delà la page imprimée, certains d'entre vous avez reçu au visage des débris de l'accident. Ne les ôtez surtout pas de votre épiderme. Laissez-les s'incruster dans votre peau jusqu'à ce qu'on ne puisse plus distinguer la chair du métal. Ainsi métamorphosés, vous serez plus à même d'entreprendre l'incroyable chevauchée homérique des Mou-Mous en *skidoo*.

* * *

Durant le séjour de l'Homme Perchaude au lac du Grand Remords, le Pays Incertain avait été en pleine ébullition. Tout commença quand *L'Espoir* publia à la une un article sur les suicides en série de plusieurs indéférentistes notoires dont ceux de Cruise Away et du Poète Canapé.

L'hypothèse retenue par le journal *L'Espoir* affirmait que ces morts à répétition étaient des meurtres déguisés en suicide par la PAPA.

Gonflée à bloc par cette révélation, la population incertaine sortit dans la rue pour protester contre les actions anti-démocratiques du Pays Artificiel. Devant la révolte, Néant Éolien fit une apparition au téléjournal de Télé-Artifice. Il nia la nouvelle et se prétendit victime d'une campagne de désinformation de la part du gouvernement incertain. La population incertaine rentra chez elle. À son tour, le chef incertain, l'Unijambiste, répliqua aux nouvelles de Télé-Incertitude en brandissant des documents fort compromettants pour la PAPA, documents signés par l'agent superviseur de la PAPA, Gris Belles Dents, et qui évoquaient le projet d'éliminer les éléments indéférentistes les plus radicaux. La population incertaine retourna manifester dans la rue.

Par la suite, Néant Éolien et l'Unijambiste s'emparèrent des ondes, l'un de Télé-Artifice, l'autre de Télé-Incertitude, et s'accusèrent mutuellement à coups de fabrication et d'usage de faux — alors, la population regagnait ses foyers — puis d'experts en authenticité de documents — et le peuple incertain redescendait dans la rue. Le manège dura du 3 au 10 novembre 1996. Enfin, la population incertaine se désintéressa de l'incident et entra en hibernation politique.

Le 11 novembre 1996. Retour à la case départ. Assis seul devant le mur blanc de son appartement à Bébec, la tête enfouie jusqu'au nez dans son éternel collet roulé bleu jovial et le deuil de Salomé à peine commencé, l'Homme Perchaude se préparait à oublier la Thérapeute en assumant ses névroses récurrentes. D'abord, il visualisa simultané-

ment Cruise Away « *face liftée* » d'angoisse, le Poète Canapé
éclaté de bitume, le Tatoueur empalé de cierges marbrés, le
Boucher courbé d'inanité, Salomé pénétrée de révélations
en nylon, la Démembreuse remembrée de squelettes décal-
cifiés et la Thérapeute ravagée de culpabilité.

Il accepta le non-mouvement en se laissant traverser
d'images désespérantes. Il vit tous ces fantômes défaits à
répétition jouer leur survie en prolongation. La défensive
alerte mais l'attaque déficiente, ils faisaient du surplace.
Chevauchant la vallée à dos de vaches, l'ordinateur intégré
au cuir bovin, personne ne gérait avec autant d'originalité
qu'eux le corps et l'espace. Le mur blanc se transforma
soudain en écran géant, sur lequel se jouait la disposition
des pantins. L'Homme Perchaude se laissa hypnotiser par de
troublants effets scéniques, tandis qu'un mime transgressait
régulièrement la plasticité du corps humain en incarnant
avec brio des personnages tout droit sortis d'un dessin
animé. Puis des derviches tourneurs empruntèrent avec
originalité les avenues de la danse moderne en provoquant
l'épilepsie du tympan et de la rétine. Derrière sa console
d'animation virtuelle, un technicien força l'Américain à se
tourner vers lui. Et pendant qu'ils s'attardaient au contenant, l'Homme Perchaude attendit le contenu en fixant
intensément le mur blanc de son appartement.

On lui répondit en écho que le médium était le message
et qu'il était donc plus important de privilégier l'aspect
technique de la création, la manière de raconter l'histoire
plutôt que l'histoire elle-même. Il s'impatienta et rétorqua
à l'écho que la faiblesse du texte n'était ici que le symptôme
d'un problème qui dépassait l'artiste. La question inanitaire, toujours non résolue et obsédante parce que non
résolue, lui semblait être à l'origine de la volonté des siens
à réduire la langue maternelle à sa plus simple expression,
voire à la mettre au service du pur mouvement. Bien que
convaincu du bien-fondé de son opinion, l'Homme

Perchaude demeura confus. Le mur blanc le fixa à son appartement.

L'écho eut le dernier mot. Il résonna avec une telle force que les membranes des enceintes acoustiques de la radiocassette se mirent à vibrer. Elles firent entendre à l'Homme Perchaude la voix de Cruise Away qui vint lui violenter ses tympans d'aliéné :

La littérature joviale *mène tout droit à une impasse : c'est la littérature de l'incommunication, c'est une littérature sans avenir et dépourvue de capacités formelles et de libertés formelles …*

L'Homme Perchaude ne put s'empêcher de réagir à ces propos. S'il y avait une chose qui l'écœurait profondément, c'était bien de voir le citoyen du Pays Incertain emprunter un parler qui n'était pas le sien.

— La fuite en avant ne nous émancipe jamais complètement de nos racines d'origine, elle nous empêche plutôt de nous identifier totalement à notre nouvel environnement.

— *Loin de moi l'idée qu'il faille modeler intégralement notre parler sur l'accent* caniche *[…] Mais loin de moi aussi la tentation de croire que le* Jovial *est une langue : c'est un parler, pittoresque parfois, mais pauvre quand il est utilisé — comme il en est avec certains écrivains — de façon exclusive.*

Estomaqué par l'écoute des propos de Cruise Away, enregistrés au cours de leur première rencontre, le doute inanitaire s'enracina encore une fois en l'Homme Perchaude, au point d'en devenir insupportable. Seule issue possible… la fuite.

Chaque fois que l'Homme Perchaude avait eu à faire face dans sa vie à une situation insoutenable, il avait pris la fuite. Avec le temps, il était devenu un professionnel de la fuite : fuite du logis maternel pour rejoindre la Perchaude Anthropophile dans le Vieux-Port de Montrivial, fuite de l'île de Montrivial pour s'installer avec la Thérapeute dans la Basse-

Ville de Bébec, fuite du lit thérapeutique pour retrouver le lit baldaquin de Salomé, fuite de la chambre mortuaire de cette dernière pour se réconcilier avec la Thérapeute à son chalet du lac du Grand Remords, fuite du chalet de la Thérapeute pour s'isoler à l'appartement de Bébec... Et maintenant que la discussion avec Cruise Away l'obligeait à se remettre en question, il fuyait encore. Mais cette fois-ci, complètement épuisé par les événements des derniers jours, il ne put que rêver sa fuite. À Bébec, allongé sur le canapé du salon, il rejoua dans sa tête les contes de son enfance.

Le soir de son huitième anniversaire de naissance, tandis que le Boucher faisait souffrir de plaisir la chatte du voisin, sa mère, la Démembreuse, lui avait conté pour la première fois une histoire rapportée par son ex-amant, le Tatoueur, une histoire qui allait le marquer à jamais et que la Thérapeute avait reprise à son compte après la mort de la Démembreuse. Mais depuis l'échec subi au lac du Grand Remords, la Thérapeute n'était plus là pour lui raconter son conte préféré. L'Homme Perchaude devait donc faire un effort, ce soir-là, pour se rappeler la voix de la Thérapeute lui narrant avec émotion la légende des Mou-Mous en *skidoo*. Ses efforts furent récompensés. Il imagina enfin ses frères mutants, émergeant de l'extrémité ouest du tunnel Hypocrite-Latourette.

On raconte qu'en chevauchant leurs chenilles motori-sées pendant la plus grosse tempête de neige qu'ait jamais connue le sud-ouest du Pays Incertain, les Mou-Mous furent les seuls à affronter l'incessante poudrerie qui para-lysa toute l'île de Montrivial, pendant près d'un mois. Du jamais vu au pays. Habitués depuis des années à affronter les rudes hivers du Grand Nord incertain, ils réussirent, à force de ténacité et de témérité, à circuler à travers les rues et les ruelles de la ville, permettant ainsi à ses habitants d'effectuer les déplacements essentiels à leur survie ; bref, cet hiver-là, les Montrivialais ne purent s'en sortir que grâce aux Mou-Mous. Ainsi naquit la légende des Mou-Mous en *skidoo*.

Les Mou-Mous forment une tribu particulière. Maltraitant à longueur d'année son vibrateur à neige, ne faisant qu'un avec son engin, le Mou-Mou sublime ses névroses en exécutant d'incroyables salto arrière, doublés de quadruples dérapages.

Soumis à l'interminable hiver incertain, dont les températures ne cessent de descendre depuis que souffle continuellement un puissant vent néo-boréal, le Mou-Mou, pour survivre, se fait deux à trois dépanneurs par semaine. Migrant de région éloignée en région éloignée, il a atteint l'anonymat suprême. De simple délinquant, il s'est transformé en complexe mutant.

Cagoulé jusqu'aux pieds, il revient périodiquement à Montrivial « emprunter » le profit de quelques dépanneurs locaux. Avant de partir avec la caisse, il n'oublie jamais d'apostropher sa victime. Qu'elle s'appelle Wong, Ali, Gonzales, Smith ou Tremblay, il lui demande toujours quelle sera sa position au prochain déférendum. Dans l'éventualité d'une réponse favorable à l'Indéférence, il se fait un devoir de remettre à sa victime la moitié de la caisse, tout en lui promettant de lui rendre l'autre moitié si le OUI l'emporte le jour J. Avis aux commerçants : au royaume des Mou-Mous, l'Indéférence ça peut être payant !

Non content d'être le Robin des Bois des mange-misère, il est aussi doué pour l'horticulture moderne. Mettant à profit le savoir ancestral des Amers-Indiens sur la culture du chanvre et le savoir actuel des chercheurs sur la culture hydroponique, les paradis artificiels n'ont plus de secrets pour lui. De croisement en croisement, il est parvenu à élever le taux de THC du pot incertain de 5 % à 35 %. Le Mou-Mou ne se contente pas d'élever la teneur en THC de ses plants, il sait aussi, par on ne sait quel moyen, provoquer des hallucinations bien précises qui entraînent le consommateur à soutenir la cause indéférentiste (Néant Éolien en chef des Hell's Angels, Diaphane Pion en ministre sodo-miné au lit par une militaire du Pays Artificiel, etc.). Toutefois, la technique n'est pas encore au point. La substance peut aussi avoir l'effet inverse sur des indéféren-tistes de longue date. Gris Belles Dents, pour ne nommer que celui-là, en aurait été la victime.

L'été venu, il n'est pas question pour le Mou-Mou de remiser son *skidoo*. Tous les vendredis soirs de la belle saison, il chevauche son engin sur l'île de Montrivial et dérape du nord au sud de la rue Saint-Dépit à la recherche d'un *after hour*. Aux petites heures du matin, il dérape en sens inverse dans la rue du même nom. Son engin laisse une traînée de flammèches qui forment un slogan : l'amour, ça s'protège. Et oui, même au lit, le Mou-Mou garde son habit *skidoo*.

Le Mou-Mou n'est pas invulnérable. Ainsi, tout n'a pas toujours été rose au royaume des Mou-Mous. Il y a onze ans, la dernière Mou-Moue en *skidoo* s'est éteinte, fatiguée comme toutes les autres avant elle d'être privée chaque prin-temps de son sportif de Mou-Mou. Les Mou-Mous avaient en effet développé au fil des années un instinct d'inanition, dont on les croyait pourtant protégés, qui les portait à s'isoler à la Cage aux Gaz durant toute la durée des séries éliminatoires de hockey. En ce printemps-là, au moment où les analystes confirmaient qu'il y aurait une tournée estivale des Torieux pour célébrer leur conquête de la Coupe Stainless, désespérée, la Mou-Moue fonça tête la première dans l'écran télé. Il s'en est fallu de peu, par la suite, pour que l'on assiste à un suicide collectif des Mou-Mous. Imaginez ! Des milliers et des milliers de Mou-Mous en *skidoo* s'écrasant moteur flambant sur un immense banc de neige, érigé aux pieds du mont Jovial à la mémoire de la dernière des Mou-Moues.

Heureusement, après cette dépression printanière, une incroyable mutation phallique se mit en branle. Le résultat fut sidérant. La Mou-Moue en *skidoo* avait laissé la place à la Mou-Moune en *skidoo*.

Celle-ci avait toutes les apparences du Mou-Mou. La seule différence venait de la circonférence de son urètre, qui était de beaucoup supérieure à celle du Mou-Mou. D'ailleurs, ce dernier, opportuniste comme pas un, eut vite fait de profiter de cette anomalie. Mou-Mou et Mou-Moune ne firent plus qu'un. Se reproduisant face à face, le phallus du Mou-Mou emboîté dans l'urètre de la Mou-Moune, la perte de la Mou-Moue se fit déjà moins sentir. La tribu des Mou-Mous semblait désormais vouée à un bel avenir.

Redoutant toutefois d'avoir à revivre l'extinction d'une partie de sa population, le gouvernement clandestin des Mou-Mous, en plus d'accorder aux Mou-Mounes le droit de posséder leur propre *skidoo*, vota à l'unanimité le droit pour celles-ci de participer au rituel des séries éliminatoires de hockey, de célébrer dans un abri Tempo géant l'anniversaire du premier Grand Mou-Mou (J. Armand Bombarbier), de faire du 100 à l'heure sur une rivière en débâcle avec la dose mortelle de 1,01 % d'alcool dans le sang, sans oublier le droit de savoir que le principal prédateur du citoyen incertain… c'était le citoyen incertain. Car, le plus grand ennemi du Mou-Mou ne se trouvait pas, et ne se trouve pas encore, à Jojoba, capitale du Pays Artificiel, mais à Bébec, capitale du Pays Incertain, où les tortionnaires vivaient, et vivent encore, l'indéférence comme un ensorcellement inopérant les jours de déférendum. C'est du moins ce que l'on raconte.

La tempête hivernale traverse l'espace et le temps du Mou-Mou. De la vallée du Pauvrelieu jusqu'à l'île de Montrivial en passant par tous les points cardinaux d'un pays imperceptible, la tempête continue de se propager. Mi-humain, mi-chenille, le Mou-Mou haït la tempête.

C'est pourquoi, représentant inconscient d'un peuple mutant, à toutes les Saint-Jean-Papiste, il exorcise l'impérissable sodominie. Il ne peut se faire à l'idée qu'elle est ce qui distingue les siens du reste de la planète. Ainsi, le 24 juin de chaque année, un couple de Mou-Mous est désigné par le Grand Mou-Mou pour le sacrifice.

Choisi selon la méthode du boulier de la tentation 37-38, le couple tiré au sort est attaché à un *sea-doo* programmé pour plonger sous l'eau au 1839e tour du bassin anémique. Aucunement craintif devant l'absurde et drapé de lycra bleu jovial, le couple accroché au *sea-doo* mortuaire file à toute vitesse autour du bassin, rempli pour l'occasion des rejetons de l'Esturgeon à grandes dents. Puis, le couple sacrifié doit progressivement s'imaginer qu'il est maître chez lui, en écoutant le Grand Mou-Mou, juché sur le tremplin de 10 mètres, traduire en latin les caractéristiques techniques du *sea-doo* démentiel.

Simultanément, à chaque tour accompli, les Mou-Mous massés autour du bassin entonnent, d'une voix grave et psalmodiée, les trois syllabes suivantes : Bommmmmmmm barrrrrrrr dierererererer. À la fin du 1839e tour, les deux Mou-Mous sacrifiés commencent à caresser leurs fessiers de lycra. Peu à peu, ces derniers s'emplissent d'une matière rougeâtre et indélébile. Les traces sur leurs cuisses, laissées par cette matière, ont comme propriété de les hypnotiser au point de leur faire oublier leur terrible destin. Puis au moment où le *sea-doo* plonge au fond du bassin, ils se mettent à rêver le peuple indécis.

Le sacrifice terminé, l'assistance écoute religieusement le sermon du Grand Mou-Mou sur le traumatisme fondateur :

« Après leur éclatante victoire contre le commandant Hard Core au mois d'octobre 1837, les barbotes ont délaissé la technique du coït interrompu qui avait fait leur succès jusque-là. Profondément conditionné par mon esprit de Mou-Mou révolté, je pleure de rage de n'avoir pu être là pour les empêcher d'accepter des règles qui n'étaient pas les leurs. En adoptant le « *fair play* » du sodominateur, ils venaient de perdre leur principal atout : l'effet de surprise que permet le coït interrompu. Ainsi l'improbable destin de sodominé de nos ancêtres, mi-hommes mi-poissons, scella le sort des générations à venir, y compris celui de votre humble serviteur. Nos pères hybrides auraient-ils fait la guerre aux sodominateurs dans le seul but de donner matière à un traité sur l'art d'être sodominé ? En fait, la seule et unique question, qui mérite d'être posée, est la suivante : nous, descendants de la Barbote Baroque, allons-nous, encore une fois, résister à la prochaine tentation du Lys, comme nos ancêtres l'avaient déjà fait en 1837-38, et comme nous l'avions fait à notre tour aux déférendums de 1980 et de 1995 ?

« Tout comme nos ancêtres, nous ne sommes pas encore prêts à sodominer, trop occupés que nous sommes à être sodominés. Cette figure de l'éternel sodominé, que les barbotes ont inaugurée après leur inattendue sodomination d'octobre 1837 et qui est réapparue en octobre 1995 après la répétition du 20 mai 1980, nous colle encore aux fesses plus d'un siècle après la fuite désespérante de Bobineau, le chef des barbotes. Le Chevalier de L'Échafaud se balançant au bout d'une corde sous le chapiteau des sodominateurs en l'an de grâce 1839 n'est ici que l'une des premières victimes de notre obstination aveugle à être sodominé.

« Admettons une fois pour toute que les barbotes n'ont pas eu foi en leur capacité à sodominer les sodominateurs. Et avouons du même fait que nous sommes toujours fascinés par cette figure du rebelle sodominé, célèbre parce que sodominé. Mais accordons aussi à nos ancêtres amphibiens la vertu d'être allés jusqu'au bout de ce que Cruise

Away appelait leur « être-pour-la-sodominie ». Ils ont eu l'audace de subir l'après-sodominie, ce qui nous permet d'être là aujourd'hui à les critiquer mais aussi à essayer d'exorciser leur désir d'être sodominé en nous préparant à céder à la prochaine tentation du Lys. »

En raison, notamment, de la barbarie de son rituel aquatique, le Mou-Mou en *skidoo* est probablement le personnage du Pays Incertain contemporain le plus mésestimé par les historiens. Peu de gens ont osé jusqu'ici aborder de front la légende. Hormis le Tatoueur, la Démembreuse, la Thérapeute et une poignée de narcomanes préférant l'illusion à la réalité, on a continué à occulter l'importance capitale du Mou-Mou dans le processus mutagène d'un peuple en *rebirth* permanent. Heureusement, il y a eu l'Homme Perchaude et sa dernière fuite en date. Grâce à cette dernière, les Mou-Mous ont eu droit à un sursis.

Remué par ces souvenirs d'enfance, l'Homme Perchaude se leva du canapé du salon, alla s'allonger seul dans le lit conjugal, souhaita bonne nuit aux Mou-Mous et pleura une dernière fois sa sœur Salomé et son aimante-soignante, la Thérapeute. Le retour inespéré de cette dernière, torturée de remords, l'apaisa enfin. Aimable à l'arrivée de sa tendre moitié comme pouvait l'être de son vivant le Poète Canapé avec ses nombreuses compagnes, et une fois ses angoisses disparues, l'Homme Perchaude se fit un devoir de la pousser à bout en lui démontrant par A + B qu'elle n'avait rien appris de ses amours d'adolescentes, puisqu'elle s'acharnait à demeurer avec lui, l'amant *border-line* par excellence.

Le syndrome de l'infirmière n'ayant pas encore été complètement vaincu par la Thérapeute, l'Homme Perchaude ne se gêna pas pour rire de son manque de persévérance. Touchée au plus profond d'elle-même par l'ingratitude perverse de l'Homme Perchaude, elle se mit dans une colère bleue qui lui fit commettre le premier acte sacrilège :

elle lui retira sa deuxième peau, son indélogeable collet roulé. Trop épuisé par sa journée, l'Homme Perchaude ne se rendit compte de rien et s'endormit finalement avec bonheur entre les seins de la Thérapeute, continuant à rêver au Mou-Mou, ce personnage légendaire plus vrai que l'histoire, parce que légendaire.

MUTATION OBSTÉTRICALE :
mutation n. f. (lat. *mutatio* de *mutare*, changer). BIOL. Apparition dans une lignée végétale, animale ou humaine de caractères héréditaires nouveaux, par suite d'un changement dans la structure des chromosomes. **Obstétrical, e, aux** adj. Relatif à l'accouchement, à l'**obstétrique** n. f. (lat. *obstetrix*, accoucheuse). Discipline médicale qui traite de la grossesse et de la technique de l'accouchement.

Dès l'accouchement, le mutant ouvre les hostilités en cherchant à sortir par tous les endroits possibles et inimaginables, sauf par le vagin, l'important étant bien sûr de faire souffrir la mère. On a déjà vu un mutant prématuré s'échapper par les narines, un autre par l'anus, sans oublier celui ayant jailli de la bouche de sa génitrice. Si, par mégarde, il naît bêtement par le vagin, d'instinct le père cherchera à l'assassiner, empêchant ainsi la mutation d'adoucir le climat familial. L'infanticide peut prendre plusieurs formes. Le géniteur peut compresser le corps du rejeton entre les deux fers d'un étau, l'asphyxier à l'aide d'un sac Glad ou l'étrangler à l'aide du cordon ombilical.

Le crime du père est en fait la preuve de son incapacité à partager l'amour de sa femme avec sa progéniture mutante. L'enfant mutant lui fait peur, parce qu'il remet en question sa propre mutation. Dès lors, il ne lui reste plus que deux choix : l'infanticide ou la fuite. Dans le meilleur des cas, il tuera pour mieux s'enfuir après le meurtre. Dans le pire des scénarios, il ratera l'infanticide et se verra imposer par la mère une fuite déshonorante. Ici, l'errance du père devient en quelque sorte l'incarnation parfaite de la mutation imparfaite. La survie possible de l'enfant mutant ne fera que lui rappeler cette imperfection. Bière après bière, un fragment d'éther finira par transpercer l'hémisphère du père, jusqu'à ce que la contention finale calme l'animal. Au repos forcé, le géniteur rêvera à un grand et beau duplex unifamilial à l'extérieur duquel l'enfant mutant avec sa ou son petit ami, assis à ses côtés, lui enverra la main au volant de la voiture paternelle, une apaisante Toyota Corolla *hatchback*, quatre portes, radio am-fm stéréo, *airbag* inclus.

En résumé, lorsque le mutant vient au monde, de deux choses l'une, ou bien ses parents le tuent ou bien il les tue. Mais pire encore est l'infanticide raté par le père à cause de la mère. S'ouvre alors l'ère de l'œdipe perverti où la relation mère-enfant prend une telle ampleur que l'enfant n'a d'autre choix que de demeurer à l'abri sous les jupons de sa mère, à moins, bien sûr, de brûler ces mêmes jupons. Dans ce dernier cas de figure, la dynamique familiale s'emballe jusqu'au carnage final.

VI. L'identité retrouvée de l'Homme Perchaude

Le Lys s'ouvre une fois de plus devant vous, mais de son calice ne sort pas comme prévu le sixième pollen d'acide. Vous voyez plutôt s'y engouffrer l'Homme Perchaude, ayant volontairement sauté de l'arbre généalogique, sans son inséparable collet roulé. Le mutant suit présentement la trajectoire de la tige du Lys jusqu'à ses rhizomes. Une fois atteintes les racines souterraines, il s'en déprend et nage dans la terre noire, du rosier grimpant, voisin de l'arbre généalogique, jusqu'aux racines d'un marronnier planté à proximité. Vous admirez avec lui l'inextricable enchevêtrement des racines de ce dernier. Mais attention : si, pour vous, les racines du marronnier, disputant l'espace sous-terrain à l'arbre généalogique et au rosier grimpant, sont inoffensives, il en va tout autrement pour l'Homme Perchaude, car le mutant a le pouvoir d'y lire l'avenir. Et ce qu'il y voit ne présage rien de bon pour la suite de son histoire. À peine a-t-il eu le temps de lire le premier enchevêtrement racinien que vous le voyez foudroyé par un premier infarctus. Et de même après la lecture du deuxième enchevêtrement.

Les racines du marronnier ont imprimé dans le cerveau de l'Homme Perchaude des images d'asile et d'infanticide qui ont transité jusqu'à son cœur, avant d'y provoquer des lésions irréversibles. Pour continuer l'exploration de l'univers mutagène du Lys, vous devrez à votre tour supporter ces images, aidés en cela par l'effet hallucinatoire prolongé du cinquième pollen d'acide. Avis aux cœurs sensibles : la fleur du Lys se dégage de toutes responsabilités quant à d'éventuelles défaillances cardiaques causées par la lecture de ce chapitre.

* * *

Pour signifier leur ras-le-bol envers le scandale de la PAPA et ses multiples rebondissements politico-médiatiques, les citoyens incertains étaient demeurés politiquement débranchés. Ce qui avait temporairement fait l'affaire à la fois du gouvernement artificiel et du gouvernement incertain, qui purent ainsi poursuivre la réduction de leurs déficits budgétaires respectifs, sans craindre les représailles de la population incertaine. On avait alors assisté au début des « grandes coupures » dans le secteur public, auxquelles s'ajoutaient celles déjà amorcées dans le secteur privé. Les premières grandes coupures avaient été faites dans les domaines de l'éducation et de la santé. Puis la machine à couper s'était emballée, à tel point que l'on s'était retrouvé avec des forêts sans arbres, des barbus sans barbe, des lacs sans eaux, des autoroutes sans autos, des moustachus sans moustache, des femmes sans ovaires, des hommes sans testicules, des chemins de campagne sans campagne, des pouponneries sans poupons, des écoles sans écoliers, des collèges sans collégiens, des universités sans universitaires, etc. Toujours en hibernation politique, les citoyens incertains subissaient, fatalistes, toutes ces coupures en espérant qu'on finisse un jour par couper leurs incertitudes existentielles. L'Ère de la politique des grandes coupures était bel et bien commencée. Pendant ce temps, coupé du monde extérieur, l'Homme Perchaude continuait à couper les cheveux en quatre.

Depuis le retour inattendu de la Thérapeute à Bébec, cela faisait déjà cinq jours que l'Homme Perchaude délirait paisiblement dans le lit thérapeutique. C'était la première fois, depuis que la Démembreuse le lui avait offert, qu'il dormait sans son collet roulé. Ce qui n'avait pas été sans effet sur son délire.

Curieusement, pendant cette période, il avait revu en accéléré les sept années où il avait rejoint la clandestinité pour exécuter ses actions hystériques. Il s'était notamment rappelé le déclenchement des grandes catastrophes sans oublier son ultime exploit : sa victoire sur le service de sécurité de la PAPA, lui ayant permis de déposer la fleur du Lys entre les seins de la femme de Néant Éolien, premier ministre du Pays Artificiel. Mais un doute subsistait dans sa tête quant à la volonté de la PAPA de ne pas le laisser entrer dans la demeure du premier ministre artificiel. Son exploit avait été trop facile, beaucoup trop facile. C'est d'ailleurs ce doute qui l'avait tenaillé tout au long de la dernière campagne indéférendaire, au point de mettre en péril son équilibre mental. Et si la PAPA l'avait volontairement laissé pénétrer dans la demeure de Néant Éolien pour, par la suite, le suivre à la trace, afin d'en apprendre davantage sur le camp des indéférentistes ?

L'arrivée de la Thérapeute dans sa vie avait étrangement coïncidé avec la mise en veilleuse de ses activités hystériques. Dès les débuts de leur relation, elle avait semblé tout savoir de lui. À croire qu'on lui avait donné un dossier exhaustif sur le profil psychologique de l'Homme Perchaude. Elle avait toujours su quoi faire, quoi lui dire et surtout quoi lui donner pour atténuer ses angoisses messianiques. Les derniers jours de son délire, nageant dans sa sueur de mutant piégé, l'Homme Perchaude n'avait cessé de sasser et de ressasser les événements marquants de sa relation avec la Thérapeute. Rien à faire, le doute subsistait.

Durant ces cinq jours, muette comme une carpe, la Thérapeute avait pris en note le discours délirant de l'Homme Perchaude. Elle avait fait en sorte que la langue de l'Homme Perchaude déraille sur ses seins imbibés de penthotal. Elle avait pressenti la prochaine mutation et,

pourtant, elle avait fait semblant d'être aimée, sans se
soucier du fantôme de Salomé et de la triste mission dont
l'avait chargée la PAPA. Comme dans tous les bons romans
d'espionnage, l'espionne savait, mais elle se taisait. Elle
oubliait sa mission, elle voulait juste un peu d'affection.
Quand elle eut surmonté la perversion de sa raison, elle
avait redoublé d'ardeur pour que l'Homme Perchaude tète
jusqu'à la dernière goutte le penthotal sécrété par ses glandes
mammaires. Elle avait alors pu en apprendre davantage sur
l'Homme Perchaude. Dévêtu de son inséparable col roulé,
son névrosé crucifié d'angoisses avait enfin pu lui dévoiler sa
véritable identité.

La fleur du Lys entre les fesses, l'Homme Perchaude lui
avait déclaré être le guide spirituel des citoyens incertains.
De Cruise Away au Mou-Mou en *skidoo*, en passant par le
Poète Canapé, le Tatoueur et la Démembreuse, il lui avait
avoué être le digne descendant de tous ces mutants. Il lui
avait même confié l'ultime révélation qui le frappa en plein
front, perdu au milieu d'un lac sans berges.

« Je suis l'Homme Perchaude, grand manipulateur de
l'eau frette et de l'eau chaude. Je suis le nouvel homme dopé
d'aquarium, prêt à faire sortir le Pays Incertain de sa catatonie. Je renie mon père et dédis ma mère pour ressusciter
ma sœur, Salomé, dont les seins ont été injectés non pas de
silicone mais de gras bovin. Ma tache de naissance est un
immense tatouage, une danse macabre autour de mon cou,
dessinée par un père tabou. »

La Thérapeute avait fini par reconstituer le puzzle.
L'Homme Perchaude n'était pas le fils du Boucher, mais
celui, illégitime, du Tatoueur, et Salomé n'avait pas seulement été sa maîtresse, mais aussi sa sœur, fille du Tatoueur
et de la Démembreuse. L'Homme Perchaude ne l'avait
jamais su ou plutôt il n'avait jamais voulu le savoir. Mais
durant toutes ces journées passées au creux du lit thérapeutique à délirer pour un OUI ou pour un NON, il avait dû

se rendre à l'évidence : les dix taches de naissance tatouées autour de son cou au moment de l'accouchement de la Démembreuse, qui lui donnaient l'impression d'être constamment étranglé, avaient la même forme que les dix doigts rachitiques du Tatoueur. Il les avait longuement fixés dans la glace de la chambre à coucher, après avoir tété la dernière goutte de penthotal, et cela l'avait rapproché de la vérité. À force de contempler l'étrange tatouage de son cou, il avait fini par revivre l'effroyable journée du 6 juin 1966 où le Tatoueur avait commis l'irréparable.

En ce jour de la bête, à quatre pattes sur le plancher de la *shed* de l'appartement parental et enceinte de six mois, la Démembreuse subit les assauts répétés du Tatoueur. Chaque fois, la douleur s'était faite plus intense. Elle sentait le sexe de son agresseur s'enfoncer au-delà de la zone dangereuse. Elle savait trop bien ce qu'il cherchait à faire : la pénétrer au plus profond de la matrice, afin de lui percer l'enveloppe utérine, d'avorter l'avorton pour ainsi garder intact l'amour exclusif qu'elle lui vouait, depuis qu'il l'avait dépucelée avec un cierge pascal. Le résultat tardant à venir, le Tatoueur s'était énervé comme un enfant gâté. Il redoubla donc d'ardeur et trucida à nouveau de son sexe-poignard le repaire du fœtus, tout en jouissant à voix haute :
Bourses à pasteur, lobes androïdes, saints filtres, calculs ------ révulsifs ------ mon conduit nasal est une campagne ------ l'incinérateur en collision ------ Les sœurs grises de l'hospice macrobiotique ------ me brûlent des bouts d'épine dorsale ------ pour faire jouir leurs petits vieux ------ et je m'écrase ------ plogué en plein sanctuaire ------ quand les ------ Malades sauvages de l'ordre établi ------ m'assomment à coups de Molson.
La Démembreuse perdit conscience, épuisée par les assauts répétés de celui à qui elle avait, en toute bonne foi, accordé sa confiance. Lorsqu'elle revint à elle, l'infanticide faillit s'accomplir sous le regard démissionnaire du Boucher.

Couchée sur le dos, les jambes tenues écartées par une paire de pince-monseigneur, elle suivit du regard le trajet du cordon ombilical. Au bout, déposé sur l'établi de la *shed*, y était rattaché l'Homme Perchaude, alias Tnatum. À ses côtés, il y avait son père, le Tatoueur, qui l'étranglait méthodiquement à mains nues. Prise d'une rage qu'elle n'avait jusqu'alors jamais ressentie, elle arracha de son placenta le cordon ombilical, s'empara de la paire de pince-monseigneur, assomma le Tatoueur et, fidèle aux enseignements du Boucher, se mit à lui démembrer le corps en entier.

Gisant par terre à moitié mort, le Tatoueur implora la Démembreuse de lui laisser la vie sauve. Munie de l'aiguille à coudre dorée que ses parents lui avaient offerte le jour de ses noces, la Démembreuse, dans un ultime élan de compassion, remit les membres du Tatoueur en place en lui faisant promettre de ne plus jamais remettre les pieds dans le quartier. En guise d'adieu, elle le jeta à la porte, sans oublier de lui faire sauvagement débouler les escaliers du premier étage.

Quelques années plus tard, elle coucha une autre fois avec le Tatoueur, histoire d'exorciser son passé. Mais mal lui en prit : de nouveau, elle était tombée enceinte de son bourreau. La venue au monde de Salomé semblait avoir définitivement lié l'un à l'autre la Démembreuse et le Tatoueur. Bien décidée à conjurer irrévocablement le mauvais sort, la Démembreuse confia sa fille à l'assistance publique, en lui laissant tout de même en souvenir son aiguille à coudre dorée. Par la suite, elle ne donna plus jamais signe de vie au Tatoueur. Le cas du père et de la fille réglé, la mère put enfin s'occuper du fils.

Tout au long de son enfance et plus encore après que la Démembreuse fut débarrassée de Salomé, l'Homme Perchaude vécut de fréquents arrêts respiratoires. Seul moyen d'y remédier, le bouche-à-bouche, que la Démembreuse lui donnait, non sans en retirer un certain plaisir, tout en lui racontant la chevauchée homérique des Mou-Mous en *skidoo*. Plus tard à l'adolescence, elle dut, à sa demande, lui acheter un chandail à col roulé afin qu'il puisse cacher les marques de mains autour de son cou, laissées par le Tatoueur à la naissance. Depuis, hiver comme été, il ne s'était jamais départi de son col roulé, même pour se doucher, se baigner ou aller au lit. Sauf en ce jour où la Thérapeute avait commis l'acte sacrilège, guidée par les forces occultes de la PAPA. Grâce à cet acte, elle avait pu connaître l'origine du col roulé de l'Homme Perchaude. L'ultime secret lui ayant été révélé, elle avait pu continuer elle-même la mise à nu du mutant incertain.

Avant que l'Homme Perchaude ne sorte de son délire, elle avait noté dans son rapport pour la PAPA les conclusions suivantes :

```
Dossier : TNATUM1980HP1995

OBJET : rapport final sur l'Homme Perchaude,
        rédigé à Bébec le 16 novembre 1996 et
        envoyé le matin même à l'adresse élec-
        tronique de l'agent superviseur, Gris
        Belles Dents.
```

Tout comme le Boucher, l'Homme Perchaude est le fils avorté d'un pays qui n'éjacule plus. Il se nourrit de son pus. Il a toujours frayé entre l'homme rose et l'homme rouge, entre le Boucher et le Tatoueur. Il est le seul qui ose, le seul qui bouge. Il aime se laisser caresser intensément par sa maîtresse saturée de détresse. Cette dernière l'a toujours maintenu en laisse, plaqué d'ivresse, alors qu'il n'a pas eu son pareil pour se faufiler entre mes cuisses de féministe, zébrées d'armistice. Digne fils du Tatoueur, il n'a jamais été un novice, il s'est toujours excité à la lie du Calice. Sa personnalité est aussi complexe que l'inanité de son peuple latex. Pervers polymorphe, il est au service de Dionysos, il ne laisse jamais de chair autour de l'os. Il hait l'amorphe et le suicide d'apostrophe, tout en se laissant happer par la catastrophe. Boule d'amour en plein jour, désespoir du terroir le soir, en pleine métamorphose, il ment comme l'amant décadent. Il est un poisson caméléon. S'il est rusé comme un Mou-Mou en *skidoo*, ce n'est pas pour abuser de ses semblables mais pour éviter les pièges que lui tendent ses ennemis. N'ignorant pas la part maudite du citoyen incertain qu'incarnaient à eux trois la Démembreuse, le Boucher et le Tatoueur, il continue malgré tout à rechercher la compagnie des femmes et des hommes d'honneur.

Tout comme Cruise Away, il s'efforce toujours d'alimenter, autant en actes qu'en paroles, la subversion, plus encore que la forme révolutionnaire. L'expression de Kierkegaard, « l'unique devant Dieu », résume bien l'individualisme de l'Homme Perchaude. Ainsi, en pur polémiste qu'il est, comme Socrate, il ne cherche pas à élaborer un système d'idées; il ne s'est jamais livré pieds et poings liés à une école de pensée. Suivant en cela l'attitude du Poète Canapé, il a toujours dit ce qu'il avait à dire, sans précaution ; les malaises qu'il provoqua autour de lui résultaient, le plus souvent, de sa parole libre et hormonée.

Il a dû, à l'instar du poète, comme l'affirmait déjà Rimbaud dans la lettre dit du « voyant », se faire voyant *par un long, immense et raisonné dérèglement de tous les* sens. *Toutes les formes d'amour, de souffrance, de folie*, il a dû les chercher lui-même, sans oublier d'épuiser en lui *tous les poisons, pour n'en garder que les quintessences.* Tel le Comte de Lautréamont dont *Les Chants de Maldoror* avaient constitué le lieu d'un combat acharné contre tout principe d'autorité, il a su brouiller énergiquement les codes, inverser radicalement les signes ; à l'exemple de Maldoror s'unissant à la femelle du requin, l'Homme Perchaude n'a pas hésité un instant à copuler avec la Perchaude Anthropophile lorsque l'occasion s'est présentée à lui.

Montrer ses qualités et cacher ses vices, c'est là faire le jeu d'*Hippocrisia*. L'Homme

Perchaude a toujours préféré laisser ses vices transpirer dans son discours, pour mieux faire croire *aux vertus qu'il y faisait resplendir*. « La Fontaine n'a-t-il pas été un moraliste cynique, la comtesse de Ségur une grand-mère sadomaso-chiste? » répétait-il à qui voulait l'entendre. L'Homme Perchaude ne veut pas ici nier la néces-sité de la convention, mais seulement encourager sa transgression. Hier à Broadway, quand le surdoué Orson Welles disséminait des acteurs dans la salle pour tirer à blanc sur le public, il ne détruisait pas la rampe, il passait tout simple-ment de l'autre côté. L'Homme Perchaude croit que si la possibilité de respecter le code a été ce qui permettait son application, le citoyen incer-tain a souvent oublié que la possibilité de le transgresser était ce qui permettait son évolu-tion. En passant de l'autre côté de la rampe, l'Homme Perchaude a déconstruit les réseaux sémiotiques établis ; sa parole a été celle de l'impossible description, une logorrhée permet-tant, notamment, de cerner la réalité du citoyen incertain. À l'heure où la survie culturelle des siens est en jeu, cette posture radicalement ludique et non linéaire fait incontestablement désordre. Un désordre qui est la traduction orale d'une nature surhumaine, voire inhumaine, s'exprimant par une « sexurbanité » toujours à refaire, à redire, à réécrire et à maudire.

En somme, l'Homme Perchaude n'est que le résultat de l'histoire invertébrée du Pays Incertain, la conséquence logique d'une épopée peuplée d'impairs où tout s'y conjuguait à « l'impairfait ». À commencer par « l'impairis-sable » désir des barbotes d'être sodominées. Périodiquement, l'Homme Perchaude fixait mon dos d'agent double et y voyait une barbote resodo-minée à l'infini, comme si la seule issue possible était celle des barbotes. À l'instar des grands traumatisés, il n'a cessé de revivre son histoire traumatisante. « Le Pays Incertain n'existe pas, son dernier enfant est né sodominé », a-t-il déjà écrit à la bombe aérosol sur les murs fortifiés de la citadelle de Bébec. Devant la complexité de la situation actuelle, l'Homme Perchaude est un peu comme ce peintre devant une prairie qui s'était demandé par quel brin d'herbe il devait commencer. «Malgré cela, voire à cause de cela, l'indéférence demeure toujours possible», m'a-t-il souvent répété. Conclusion : IL FAUT NEUTRALISER L'HOMME PERCHAUDE LE PLUS RAPIDEMENT POSSIBLE, AVANT QUE JE NE PERDE MON POUVOIR SUR LUI ET QU'IL REPRENNE SES ACTIVITÉS HYSTÉRIQUES, CAR CETTE FOIS-CI POURRAIT ÊTRE LA BONNE POUR LES INDÉFÉRENTISTES.

Je demeure à votre disposition pour une intervention d'urgence. Votre bien dévouée.

Agent double 1867

Émergeant de sa narcolepsie le 16 novembre au soir 1996, l'ennemi de la PAPA répéta sans arrêt qu'il était l'Homme Perchaude, le dernier chaînon avant la prochaine mutation. C'est en l'entendant répéter en boucle ces paroles que la Thérapeute comprit qu'il fallait agir sans plus tarder. Court-circuitant la chaîne hiérarchique de la PAPA, elle ôta son stérilet, attacha l'Homme Perchaude au montant du lit et mit tout en œuvre, y compris les moyens les plus abjects, pour que l'Homme Perchaude l'ensemence. Ainsi pensa-t-elle avoir de l'emprise sur la prochaine mutation. Horrifié, l'Homme Perchaude fut vidé de toute sa semence. Totalement déshydraté et traumatisé par un tel acharnement à la procréation, il demeura pétrifié, les yeux révulsés et le corps en proie à de violentes secousses.

Deuxième acte sacrilège, l'acte de trahison par excellence : le 17 novembre au matin, avec l'accord de la Thérapeute et sous la supervision de la PAPA, les aliénistes internèrent l'Homme Perchaude à l'Hôtel-Pieux du Sacré-Pleur de Rhésus à Bébec.

MUTATION SUICIDAIRE : muta-
tion n. f. (lat. *mutatio* de *mutare*,
changer). BIOL. Apparition dans une
lignée végétale, animale ou humaine
de caractères héréditaires nouveaux,
par suite d'un changement dans la
structure des chromosomes. **Suicidaire** adj. et n. Qui tend ou qui
semble prédisposé au **suicide** n. m.
(lat. *sui*, de soi et c*aedere*, tuer).
Action de se donner soi-même la
mort.

L'une des causes du suicide est
peut-être liée à la peur du suicidé
d'aller jusqu'à l'aboutissement ultime
de la mutation qu'il incarne. Plutôt
que d'assumer les problèmes inhé-
rents au mutant, il préfère les éliminer
en s'éliminant. Noblesse d'esprit
oblige, le mutant suicidaire doit
recourir au suicide royal, à l'instar
des suicidés par balle qu'ont été le roi
des allumettes, Ika Kreuger, le roi du
film, George Eastman, le roi du rasoir,
Paul Kunhrich et le roi de l'acier,
Donald Rierson.

Devant un premier échec, le
mutant solitaire pourra toujours
contourner le présent et remonter
jusqu'à l'Antiquité, afin d'adhérer à
l'Académie des *synapothanusmenou*
(ceux qui veulent mourir ensemble)
fondée par Cléopâtre et Antoine.
Ainsi, il trouvera dans le suicide en
duo amoureux le courage nécessaire
pour mettre fin à ses jours. Devant un
deuxième échec, il ne lui restera plus
qu'à s'en remettre à la combinaison
du suicide sacrifice et du suicide
collectif. Il ne fera ainsi que suivre
l'exemple des premiers chrétiens qui
ont permis au christianisme de bâtir
son Église sur le suicide déguisé en
martyre.

En définitive, le mutant anéanti
se doit d'être moins lâche que
Molière, Racine, Chapel, La Fontaine
et Boileau, qui prirent un soir à
Auteuil la résolution d'aller se jeter
dans la Seine pour en finir mais qui, le
jour venu, n'en firent rien, et plus
courageux que Voltaire qui s'engagea
une nuit à Londres avec un négociant
de ses amis à se noyer dès le lendemain dans la Tamise mais qui, lui non
plus, n'en fit rien. Le mutant neuras-
thénique doit plutôt assimiler les
enseignements du personnage de
Dostoïevski, Kirilov, maître du
suicide logique et rationnel, afin de
réussir sa mort volontaire à l'image
des Aquin, Jutra et cie.

Suivant le vieil adage voulant
que le déshonneur des pères amène la
mort des fils, le mutant, déshonoré
par génération interposée, embrassera
le visage de plâtre de *L'inconnue de
la Seine*, moulé à partir du cadavre
d'une belle jeune fille au sourire
paisible, retrouvée noyée au fond du
cours d'eau dans les années 20. Ainsi
alourdi, le mutant mélancolique ira
rejoindre au fond du Saint-Rampant
le *sleeping bag* paternel saturé de
béton Demix.

VII. Réveillon entre suicidés

Les rhizomes ayant été saccagés par le passage de l'Homme Perchaude, vous attendez que le Lys s'ouvre définitivement et laisse enfin sortir le sixième et dernier pollen d'acide. Oubliez cela, il ne s'ouvrira pas. Le Lys est cliniquement mort en avalant l'Homme Perchaude et en le laissant prisonnier des racines du marronnier. Le Lys que vous regardez présentement est tenu artificiellement en vie par l'arroseur artificiel et le fumier synthétique de moutons. Vous n'en croyez pas vos yeux et pourtant c'est la triste réalité, le pollen d'acide ne viendra plus fertiliser l'arbre généalogique, maintenant piqué en entier par les épines du rosier grimpant.

Déjà l'arbre s'en ressent. Approchez-vous un peu et regardez-le bien. Vous verrez sous chacune des branches un petit bonhomme et une petite bonne femme, empalés un par-dessus l'autre à l'épine du rosier, et leurs enfants pendus par les pieds, le crâne rasé et le périnée tatoué des armoiries du Pays Artificiel. Une fois la nausée passée, vous commencerez votre cure de désintoxication en poursuivant la découverte de l'univers mutagène du Lys, sans l'intermédiaire du pollen d'acide.

* * *

Sentant approcher la fin de l'hibernation politique de ses citoyens et ayant finalement compris qu'il n'arriverait jamais à l'indéférence avec une population d'indigents et de sans-abri, le gouvernement incertain avait mis fin à sa politique des « grandes coupures » en inaugurant celle des grandes dépenses, quelques semaines après l'internement de l'Homme Perchaude. De peur de voir la volonté indéférentiste renforcée par le changement de cap du gouvernement incertain, Néant Éolien avait aussitôt réinjecté des fonds publics dans la santé en accordant aux aliénistes du Pays Incertain des bourses du Tortionnaire. Une guerre administrative entre les deux gouvernements avait suivi et s'était soldée par l'ostracisme des boursiers du Tortionnaire de la part du ministre incertain de la Santé. Solidaires de leurs pairs boursiers du Tortionnaire, les aliénistes incertains avaient mis leur option indéférentiste en veilleuse et commencé à occuper les bureaux du ministère incertain de la Santé.

Le temps passait et les chances de faire l'indéférence s'éloignaient. Les couples incertains faisaient de moins en moins d'enfants, les artisans de la première heure étaient devenus de vieux dinosaures qu'on n'écoutait plus que par respect pour leur âge, les plus jeunes n'arrivaient pas à s'enthousiasmer pour une cause dont les principaux acteurs n'avaient pas changé depuis la fin des années 60, alors que le gouvernement artificiel continuait à marquer des points, en augmentant l'enveloppe budgétaire attribuée aux fonds du Tortionnaire. Au moment de son internement, l'Homme Perchaude avait d'ailleurs indirectement profité d'une bourse du Tortionnaire accordée à un groupe d'aliénistes de l'Hôtel-Pieux du Sacré-Pleur de Rhésus.

Durant les trois années qu'avait passé l'Homme Perchaude à l'asile infiltré par plusieurs agents de la PAPA, les aliénistes étaient parvenus, à force de patience et d'ordonnances, à lui faire oublier la nuit terrifiante précédant son internement. Pendant son traitement subventionné par le gouvernement artificiel, on s'était acharné, le soir, à l'amortir en lui faisant regarder à répétition *Les minutes du patrimoine artificiel* suivies d'un florilège des plus grands discours politiques de Néant Éolien sur les mérites du « plus meilleur pays de l'artifice ». Dans la journée, on l'avait fait travailler aux presses de l'Hôtel-Pieux où il imprimait en série d'immenses feuilles d'érable rouges sur fond bleu. La vision surexposée toute la journée au rouge et au bleu, la nuit venue, l'Homme Perchaude voyait la vie en ultraviolet, y compris celle représentée dans *Les minutes du patrimoine artificiel.* Lorsqu'il avait les bleus et devenait trop agressif, les aliénistes lui injectaient dans les yeux du poivre de Cayenne liquide. Après deux expériences de la sorte, il avait lâché prise et s'était laissé conditionner par les aliénistes de l'Hôtel-Pieux.

Tout alla bien, jusqu'au 30 octobre 1999 où, le ventre à peine bombé malgré une étonnante gestation qui durait depuis trois ans, la Thérapeute daigna lui rendre visite pour la première fois, convaincue d'avoir enfin vaincu le syndrome de l'infirmière. Cette dernière était enceinte de l'Homme Perchaude, au su de ce dernier et de la PAPA. Elle n'avait pas encore eu le courage d'apprendre la nouvelle à ses supérieurs, de peur qu'ils ne la forcent à avorter ou, pis encore, à faire don de l'enfant à la section pédophilique de la PAPA.

Déchirée entre son amour pour l'Homme Perchaude et sa loyauté à l'égard de la PAPA, celle-ci sembla tout de même heureuse de revoir son protégé. Elle ne manqua pas de lui demander des nouvelles de ses fantômes préférés, sans rien ajouter que ne savaient déjà les agents de la PAPA, infiltrés à l'Hôtel-Pieux.

« Cruise Away a-t-il survécu à son dernier cocktail de barbituriques ? Le Poète Canapé cherche-t-il toujours à battre son propre record de 1837 sandwichs avalés en un seul 5 à 7 ? La dernière victime du Tatoueur souffre-t-elle, comme toutes les autres, d'une incurable catatonie ? Le Boucher en pince-t-il toujours autant pour la chatte du voisin ? La Démembreuse désire-t-elle toujours finir sa carrière en beauté en démembrant tous les Fractionnistes de l'île de Montrivial ? Les Mou-Mous en *skidoo* vont-il enfin migrer définitivement vers le Nouveau Pays Incertain ? Les danses à dix piastres de ta sœur Salomé te manquent-t-elles toujours autant ? »

La Thérapeute dégageait une telle empathie à l'égard de l'Homme Perchaude que ce dernier soupçonna un manque de sincérité de sa part. À l'image des parents de « psychosés », elle feignait de le croire afin de ne pas le contrarier davantage. Ses fantômes était devenus les siens. Elle poussa même l'audace jusqu'à les inviter pour le réveillon du jour de l'An marquant le début du troisième millénaire. Devant son mutisme, elle lui promit que, pour ce grand jour, il pourrait porter son indémodable collet roulé, à condition, bien sûr, de ne pas en glisser mot aux aliénistes de l'Hôtel-Pieux. Découvrant l'esprit traître et vengeur de la Thérapeute, il craqua. La crise fut mémorable. On dut s'y mettre à quatre pour lui injecter une dose massive de Temesta. Juste avant de succomber à l'anxioly-tique, il la vit partir fière et altière. Elle flottait sur un nuage de revanche, les pupilles dilatées au « max », le sourire imperverti et l'utérus en pleine mutation.

L'Homme Perchaude fut placé à l'étage des schizo-phrènes dyslexiques. Faisant partie de ceux-là, c'est à ce moment que je rencontrai l'Homme Perchaude. J'eus souvent droit à de nombreuses crises logorrhéiques grâce auxquelles j'ai pu reconstituer tous les événements dont j'ai fait le récit jusqu'à maintenant en vous cachant mon exis-tence.

Un soir, l'anxiolytique l'aidant à se laisser pénétrer de l'esprit de l'Homomatopée, il arriva enfin à exorciser complètement le traumatisme vécu au cours de la nuit précé-dant son internement. L'Homme Perchaude discoura ainsi :

« Depuis notre première rencontre à Montrivial, la Thérapeute s'est progressivement libérée de ses angoisses. À la fin, elle ne redoutait plus mes psychoses, ni même mon délire nostalgique à l'égard de Salomé. Ainsi, la nuit juste avant mon internement, où j'avais terminé de délirer paisiblement sur mes origines dans le lit thérapeutique sans mon collet roulé, elle ôta son stérilet, m'attacha au lit et me fit l'amour de force. Je pus même déceler dans le reflet de son iris ce que lui inspirait mon effroi. Et cela, seul le langage de l'Homomatopée peut m'aider à te le faire partager : † † † † † † *Zoutépaudévafe* † † † † † † *Zoutépaudévafe* † † † † † † *Zoutépaudévafe* † † † † † † *Zoutépaudévafe* † † † † † † *Sir aligne a tu you zu* † † † † † † *Signe aligne a ti zaille-zi* † † † † † † *(ad lib).* ♀ ♀ ♀ ♀ ♀ ♀ *Les scapulaires spermatiques bouillonnent dans* ♂ ♂ ♂ ♂ ♂ ♂ *l'entre-cuisse de la marâtre éventrée.* ♂ ♂ ♂ ♂ ♂ ♂ *Les œufs de notre couvée lèchent la réglisse du vagin* ♂ ♂ ♂ ♂ ♂ ♂ *et les antres des dessous de bras roses attisent* ♀ ♀ ♀ ♀ ♀ ♀ *l'ardeur des cobayes* † † † † † †.

« Alors que ma queue s'agitait entre ses seins, toujours aussi fasciné par son iris, je dus me rendre à l'évidence : moi, l'Homme Perchaude, j'en étais probablement à ma dernière pénétration avant la prochaine mutation. La Thérapeute était en train de tout faire pour qu'il en soit ainsi. Sans que je ne m'en rende compte, ma queue migra des seins au vagin. Au moment même où je tentais encore d'interpréter la surface de son iris, je compris que la Thérapeute voulait me remplacer par ma propre descendance et ainsi avoir la mainmise totale sur la mutation à venir. Ni moi ni la PAPA n'y pouvions rien. Ce serait sa victoire totale sur le couple clandestin, que feue Salomé et moi avions jadis formé, et sur la PAPA qui n'avait jamais voulu prendre en considération l'amour qu'elle avait développé pour moi durant sa mission.

« Je me retrouvai donc, contre mon gré, à l'origine d'une abomination qui porterait mon nom. J'étais fait comme un rat. Encore une fois, seul le langage de l'Homomatopée peut m'aider à te rendre à peu près compréhensible le souffle païen que j'émis au cours de cette nuit interminable pour me défaire de l'emprise de la Thérapeute : † † † † † † *Au feu* ♂ ♂ ♂ ♂ ♂ ♂ *les pénombres croulent*

♀♀♀♀♀ Un gibraltar assaisonné de pestes immergées par les ♀♀♀♀♀ succubes ♂♂♂♂♂♂ dévore le protocole de mon âme anéantie ♀♀♀♀♀ Comment sortir ♀♀♀♀ ♀♀ Comment sortir le beu qui sillonne en éclaboussant ♂♂ ♂♂♂♂ son crâne † † † † † †.

« Rien à faire. Tout se déroulait selon la volonté thérapeutique. Après m'être libéré de mes attaches, j'eus beau enfoncer le bras jusqu'au fond de la matrice pour y récupérer le maximum d'agents procréatifs, ce fut peine perdue. Au lieu de court-circuiter l'éjaculation, mes incantations avaient tout au plus retardé l'inévitable. Pire, elles avaient aiguisé ma vision de l'abomination à venir. L'iris de la Thérapeute se dilata à un point tel que je pus y voir le visage de notre rejeton. Indescriptible, inhumain, inavouable, inmontrable… purement homomatopéen : *† † † † † † Un infirme joue avec sa tête ♀♂♀♂♀♂ mais le déclic ♀♂♀♂ ♀♂ des procès ♀♂♀♂♀♂ soustrait l'aube qui déjà naissait dans ses cerceaux ♀♂♀♂♀♂ C'est dans ce décor de rhubarbe et de soutane ♀♂♀♂♀♂ qu'il fit pipi sur la tête d'un quelconque* Rhésus *♀♂♀♂♀♂ ils étaient là ♀♂♀♂♀♂ qui crossaient sa maman † † † † †.*

« Le vertige vital me frappa de plein fouet. Projeté dans les airs, j'atterris au pied du lit avec dans mon champ de vision l'iris toujours dilaté de la Thérapeute. J'y vis un fœtus à l'état de tube digestif, une anticipation de la mutation qui ne fit rien pour me calmer. »

Mercredi, 1er décembre 1999. L'Homme Perchaude venait de sortir du coma. Recroquevillé sous le lit, il espérait que la Thérapeute ne donnerait pas suite à son projet de réveillon. Plus on approchait de la date fatidique, plus il était la proie d'hallucinations. Le 15, derrière le petit hublot de la porte capitonnée, il vit le visage de Cruise Away, maquillé d'antidépresseurs. Le 18, le Poète Canapé vint lui tenir compagnie, encastré dans le mur jusqu'au cou, tel un orignal. L'Homme Perchaude avait l'impression de discuter avec un trophée de chasse. Les heures passées en sa compagnie lui permirent de reprendre temporairement le dessus. Les valeurs terriennes du Poète Canapé (bien manger, bien boire et bien baiser) et son sens des réalités donnèrent la possibilité aux aliénistes de diminuer sa dose d'anxiolytiques. Le 21, on dut toutefois réaugmenter la dose, à la suite de l'apparition de la Démembreuse au fond d'un aquarium géant. Son souffle était si glacial que l'aquarium se fissura de toutes parts sous la pression de l'eau changée en glace, tandis que les murs de la chambre se couvrirent de givre. Toute la nuit du 24, les Mou-Mous dérapèrent avec leurs *skidoos* sur les murs encore glacés de sa chambre. L'effet était si saisissant que l'Homme Perchaude en fut quitte pour une crise d'apoplexie. Le 25, on augmenta donc encore sa dose de Temesta. Mais le 26, une autre crise éclata lorsqu'il vit une énorme chatte rousse dévorer le phallus du Boucher comme si ce n'était qu'un vulgaire moineau. Le 30, l'Homme Perchaude retomba dans un profond coma après avoir vu le Tatoueur marcher de long en large, jetant aux quatre points cardinaux les membres de Salomé, tout en prenant soin de déposer sa tête tatouée sur le plateau d'argent situé au centre de la chambre. Enfin, le 31 au soir, la veille du dernier jour du siècle, il s'éveilla, assis avec la Thérapeute sur le canapé de leur appartement, elle, heureuse d'avoir obtenu de l'aliéniste en chef la permission de le ramener chez lui amorti par les calmants, et lui, plus heureux que jamais de porter à nouveau son seul et unique collet roulé bleu jovial dont la couleur semblait avoir viré à l'ultra-violet.

En face d'eux se retrouvèrent tous ceux qui avaient, pour le meilleur et pour le pire, contribué à rendre moins ennuyeux le dernier séjour de l'Homme Perchaude à l'Hôtel-Pieux. Il fit preuve de tout ce qui lui restait de calme et de patience pour ne pas être atteint de catalepsie. À minuit très exactement, la scène le saisit : tous les invités fantômes rivalisaient d'adresse pour se suicider avec éclat. Déjà morts organiquement une première fois, ils tentaient maintenant de mourir une deuxième fois en se suicidant le spectre. On les aurait crus tous terrifiés par l'avènement de cette fin de siècle. Cruise Away avala coup sur coup ses bouteilles d'antidépresseurs en discourant sur le destin tragico-comique d'un pays toujours incertain à l'aube de l'an 2000 ; en moins de deux minutes et aux endroits les plus incongrus, notamment sur le périnée, le Tatoueur s'injecta des doses éléphantesques d'un mélange improbable d'héroïne, de mescaline, de benzédrine, de coke, de crack, de PCP, de GHB et de LSD, ainsi que de nexus et d'exctasy, tout en imaginant à haute voix une douche dorée qui aurait été aussi impressionnante que les chutes Niagara ; les deux pieds dans un seau d'eau, le Boucher débita son propre corps avec un couteau électrique ; le Poète Canapé, fidèle à lui-même, dévora le buffet en s'empiffrant de sandwichs aux cornichons et au jambon haché, de salades de patates et de macaronis, de saucisses cocktails, et s'envoya derrière la cravate douze bouteilles de Bébérac millésimées, dont un grand cru 1980, sans oublier de porter un toast à l'immense sous-sol de banlieue cossue auquel lui faisait penser le quartier général de la Société Saint-Jean Papiste à Montrivial ; la Démembreuse s'enferma dans le lave-vaisselle en marche en priant pour qu'on lui laissât démembrer l'abomination le jour de son baptême, si jamais elle survivait à son suicide ; Salomé s'enfonça dans le sexe une tête de pigeon en acier trempé du diamètre d'un poteau de téléphone et le Grand chef des Mou-Mous se fit passer sur le corps par une horde de Mou-Mous en *skidoo*, roulant à plus de 240 km/h, en les excusant de faire autant de bruit dans un si petit appartement.

La Thérapeute réagit avec aplomb, en ayant vu d'autres en tant qu'agent double. Elle s'assura que tous les invités ne manquassent de rien. Elle appela sur son téléavertisseur le *pusher* du coin, afin de s'assurer que le Tatoueur ne manquait d'aucune substance ; ajouta de l'eau dans le seau du Boucher, de manière à créer un courant continu ; régla la température de l'eau du lave-vaisselle à tiède, espérant peut-être ainsi donner une chance à la Démembreuse d'assister au baptême de l'innommable ; proposa aux Mou-Mous en *skidoo* de faire le plein d'essence à même l'antiquité japonaise de l'Homme Perchaude ; offrit au Poète Canapé de lui ouvrir une autre caisse de Bébérac, enduit de K-Y la tête de pigeon de Salomé et indiqua à Cruise Away l'endroit où était située la pharmacie de l'Homme Perchaude.

Remarquant que la Thérapeute s'agitait sans relâche, depuis déjà un bon moment, l'Homme Perchaude lui offrit d'aller relaxer dans leur chambre pendant que tous ces fantômes s'affairaient à s'éteindre pour de bon. Le fantôme de Salomé tenta bien de retenir l'Homme Perchaude avec sa tête de pigeon en acier trempé, mais c'était peine perdue, celui-ci n'avait qu'une idée en tête : reconquérir celle qui l'avait laissé tomber aux mains des aliénistes et de la PAPA. Satisfaite de l'indifférence de l'Homme Perchaude manifestée à l'égard du spectre de Salomé, la Thérapeute se déshabilla et alla s'étendre sur le lit conjugal.

La voyant nue, au terme de ses trois années de grossesse, avec le fantôme de Salomé regardant par l'entrebâillement de la porte, il eut l'impression de faire l'amour à une autre femme. Son ventre et ses seins était naturellement plus volumineux, mais sa peau était aussi plus douce et son odeur embaumait la chambre d'un fumet lacté. L'effet fut foudroyant. Il avait l'impression de la tromper avec elle-même. La sensation d'infidélité était si intense qu'il ne put se retenir. Il la caressa comme au premier jour. Elle sembla tout à coup agacée, comme si elle lisait dans ses pensées. Plus il s'appliquait et plus elle devenait anxieuse. À l'instant où il vint en elle, elle éclata et le traita de tous les noms. Elle venait de comprendre avec effarement que ni sa victoire sur

Salomé ni la venue au monde de l'abomination n'élimine-rait son besoin permanent de nouveauté. L'Homme Perchaude eut beau lui dire qu'elle était mal placée pour lui faire des reproches, elle qui l'avait trompé depuis leur première rencontre en étant à la solde de la PAPA et qui l'avait forcé à lui faire un enfant dont il ne voulait pas, juste avant de donner son accord pour qu'il soit interné à l'Hôtel-Pieux, la Thérapeute ne décoléra pas. Sa crise d'hystérie était maintenant à son comble, la circonférence de son utérus aussi. L'Homme Perchaude craignit le pire. Étant donné les dernières coupures dans le personnel des hôpitaux, l'obsté-tricien de la Thérapeute lui avait souhaité de ne pas accou-cher prématurément pendant le temps des fêtes. Trop tard ; maintenant elle venait de perdre les eaux, après avoir réussi l'impossible : grâce au séminaire de la PAPA sur la négation de l'inévitable, elle avait retardé l'accouchement de vingt-sept mois, afin que l'Homme Perchaude puisse y assister, une fois ses trois années de traitement terminées à l'asile. Voyant l'Homme Perchaude, paniqué, faire les cent pas dans l'appartement, tous les invités mirent fin à leur tenta-tive de suicide et décidèrent d'un commun accord que le meilleur endroit où conduire la Thérapeute était l'Hôtel-Pieux, l'un des rares hôpitaux du Pays Incertain qui avait échappé aux compressions budgétaires, vu l'augmentation exponentielle des cas de maladie mentale, les trois dernières années.

C'est ainsi qu'au petit matin du 1er janvier de l'an 2000, une étrange caravane de suicidaires, escortée par une armée de Mou-Mous en *skidoo*, se mit en branle boulevard de la Charrette vers l'asile des derniers aliénistes, grands adora-teurs de l'Érable céleste.

MUTATION ASILAIRE : mutation n. f. (lat. *mutatio* de *mutare*, changer). BIOL. Apparition dans une lignée végétale, animale ou humaine de caractères héréditaires nouveaux, par suite d'un changement dans la structure des chromosomes. **Asilaire** [-azilεr] adj. Relatif à un, aux **asiles** n. f. (gr. *asulon*, refuge sacré). Lieu où l'on peut trouver refuge et protection pour se reposer. Désigne aussi, de manière archaïque, un établissement psychiatrique (souvent péjoratif).

Comme pour le suicide, l'une des causes de l'internement psychiatrique est probablement liée à la crainte de l'interné d'aller jusqu'au bout de la mutation qu'il incarne. Plutôt que d'accepter les problèmes propres au mutant, il préfère les interner en s'internant. L'enfant mutant n'a pas le choix ; soit qu'il se suicide, soit qu'il se laisse interner dans l'enclos des petits saint Jean-Papiste aux jolies boucles blondes. Devenu locataire d'une léproserie flottante, il revit l'exclusion sociale du lépreux en embarquant dans la *Nef des fous*, afin de naviguer aux limites de la Cité. Il incarne sa folie à travers la Chute et l'Accomplissement, la Bête et la Métamorphose. Sa démence fascine parce qu'elle est savoir, elle réactualise *L'Éloge de la folie*. Don Quichotte, roi du trompe-l'œil baroque, est le héros de l'enfant mutant, il est le fou détenteur de la vérité, le *frame up* du *frame up*. Ici, la dérision de la folie prend la relève de la mort et de son sérieux.

Premier ministre clandestin et hermaphrodite du Pays Incertain, l'enfant mutant se jette dans l'action comme d'autres « se jettent dans la boisson ». Il ne craint plus la sodominie puisqu'il en a tué ses représentants ancestraux. Dans l'univers de l'enfant mutant, le soleil est son père, la lune est sa mère. L'aurore et la brunante se confondent pour s'éteindre dans un interminable flash-back où l'aliéniste, tel un thaumaturge, saigne l'enfant mutant, tout en lui appliquant une ventouse derrière l'oreille, afin de lui faire apprendre par cœur *L'Éloge de la raison*, pour qu'il puisse enfin passer de la « Nef des fous » à « l'Hôpital des fous ». Et, s'il le faut, l'aliéniste ira jusqu'à lui inoculer le germe de la gale, pensant ainsi expurger sa folie à la surface de l'épiderme.

« Ce n'est pas en internant son fils qu'on se convainc de sa propre santé mentale. »

Voilà ce que se répète en boucle l'enfant mutant lorsque l'aliéniste l'arrose pour la énième fois de son jet d'eau glacée compressé à la limite de la résistance épidermique.

VIII. Homard, l'enfant martyr

Contre toute attente, le Lys se remet à produire sa propre chlorophylle, sans même l'aide de l'arroseur artificiel. Les botanistes n'y comprennent rien, vous non plus et moi pas davantage. Vous attendez, impatients, de voir la suite de cette résurrection inattendue. Le Lys s'ouvre enfin et laisse son calice irradié vous aveugler. Une fois la vue retrouvée, vous regardez, pétrifiés, le sixième et dernier pollen d'acide en sortir. Déshabitués à la substance, vous perdez pied et vous vous retrouvez assis sous l'arbre généalogique.

L'arbre n'a plus qu'une branche le traversant en son centre. Sur celle-ci, vous regardez le dernier enfant mutant, la camisole de force bien attachée, marcher de long en large et simuler périodiquement le saut de l'ange en tirant la langue. Seul locataire demeurant actuellement sur l'arbre généalogique, ses aïeux l'ayant tous déserté, vous comprenez qu'il est la dernière mémoire vivante de l'univers du Lys, l'unique survivant de la mutation agonique. Après lui, plus aucun arroseur artificiel ne pourra maintenir en vie la fleur du Lys.

Maintenant, l'enfant mutant vous dévisage avec le regard malin de celui qui se sait mentalement atteint. Vous avez reconnu chez lui le *malocchio*, ce mauvais œil portant la guigne. Affolés, vous tentez désespérément de conjurer le sort. Il vous voit à l'instant détourner votre regard. Fou de rage, il vous saute au visage et y reste accroché en mordant votre nez. N'ayez crainte, le supplice ne durera que quelques pages, le temps que vous terminiez l'exploration de l'univers mutagène du Lys.

* * *

La grande disparition approchait et l'Unijambiste le savait. Il ne se faisait plus d'illusion sur l'avenir des siens, depuis que le gouvernement artificiel avait mis la main sur les asiles du Pays Incertain par le biais des bourses du Tortionnaire. Un pays qui ne se préoccupe pas de ses malades mentaux en est un qui perdra inévitablement les « rênes de son bateau », lui avait souvent répété Petit Azur, ancien ministre de la Santé sous le règne de Ti-Poil et mystérieusement disparu au cours de sa dernière visite à l'Hôtel-Pieux du Sacré-Pleur de Rhésus.

Couché sur un lit de camp dans son bunker à Bébec, l'Unijambiste ne cessait de se répéter à lui-même l'aphorisme de Petit Azur en sachant fort bien qu'il était maintenant trop tard. La bataille des asiles était désormais perdue et cela malgré la politique des grandes dépenses qui avait tenté de tenir tête aux bourses du Tortionnaire. La politique des « grandes coupures » ayant causé un tort irréparable aux asiles du Pays Incertain, en grande majorité les aliénistes avaient préféré l'aide du gouvernement artificiel. Désespéré de n'avoir pu mener ses troupes à la victoire, l'Unijambiste avala un puissant anxiolytique et ferma les yeux, au moment même où l'Homme Perchaude et la Thérapeute arrivaient avec leur garde suicidaire à l'Hôtel-Pieux du Sacré-Pleur de Rhésus.

À l'Hôtel-Pieux, le Grand Mou-Mou tentait de convaincre l'aliéniste en chef d'accoucher la Thérapeute. Peine perdue, puisque l'Hôtel-Pieux n'accouchait que les malades mentaux. C'était écrit noir sur blanc dans la dernière convention collective. L'Homme Perchaude s'énerva, le Tatoueur aussi, et en symbiose totale ils prirent à la gorge l'aliéniste en chef. L'alarme venait tout juste d'être donnée qu'apparut une trentaine d'agents de la PAPA à la carrure peu invitante. Cruise Away, fidèle à son destin de suicidé, fonça dans le tas en criant à tous ces gorilles en espadrilles qu'ils ne viendraient jamais à bout de la mutation incertaine ; contrairement à son habitude, le Boucher bomba le torse et fit preuve d'un courage exceptionnel, maniant le couteau électrique comme un sabre ; le Poète Canapé s'élança quatre bouteilles de Bébérac à la main en fessant sur tout ce qui bougeait ; armée de son énorme tête de pigeon en acier trempé, les seins siliconés pointant comme des obus vers l'ennemi, Salomé en sodomina quelques-uns ; claquant des dents comme une hyène, la Démembreuse eut tout juste le temps de castrer trois primates avant de se retrouver immobilisée au plancher avec la graine simiesque entre les fesses ; le Grand Mou-Mou et sa horde foncèrent en *skidoo* sur tout ce qui bavait, la fleur du Lys battant pavillon à l'arrière de l'engin.

Le carnage fut affreux : Cruise Away se retrouva éborgné ; le couteau électrique servit à trancher les deux mains du Boucher ; on coupa la langue du Poète Canapé ; la Démembreuse se fit stériliser l'anus à vif au Jack Daniel's ; on obligea Salomé à avaler sa tête de pigeon et trois Mou-Mous finirent attachés et traînés à l'arrière de leur *skidoo*.

Malgré leurs blessures et à leur grande surprise, la victoire fut totale. L'ennemi s'était replié au sous-sol. Le Tatoueur tenant en joue l'aliéniste en chef avec sa seringue VIH et l'Homme Perchaude soutenant la Thérapeute prête à accoucher, ils reprirent finalement leurs esprits et montèrent à l'étage des schizophrènes dyslexiques pour se soigner et préparer d'urgence l'accouchement.

La Thérapeute couchée sur la table à électrochocs, le travail commença sous la supervision de l'aliéniste en chef. Tout au long de l'accouchement, un attroupement se forma progressivement autour de la Thérapeute. Pendant que les Mou-Mous en *skidoo* faisaient le guet à la porte et que l'Homme Perchaude priait pour qu'aucun incident regrettable ne survienne, il prit le Boucher à témoin et nomma le Poète Canapé et Salomé respectivement parrain et marraine de l'innommable. Puis il fit de Cruise Away le responsable de l'éducation de l'abomination à venir, alors que le Tatoueur et la Démembreuse eurent pour tâche de tester au préalable les drogues dures que le rejeton voudrait éventuellement consommer à l'adolescence. Le fantôme de Cruise Away fut si heureux d'être nommé éducateur qu'il relança de vive voix l'Homme Perchaude sur la question du Jovial, le débat ayant déjà été initié par ce premier grâce à la radiocassette, le 11 novembre 1996, après le retour de l'Homme Perchaude du lac du Grand Remords.

— ... *le* Jovial *est un maquis linguistique [...] Si paradoxal que cela puisse paraître, le* Jovial *est un rempart contre la* sodomination *dans la mesure où il a absorbé le poison de la* sodominie.

— Mais à trop focaliser sur le problème linguistique, n'en vient-on pas à prendre l'arbre pour la forêt ?

— *La question linguistique s'est substituée au problème* inanitaire *et la subversion verbale qu'est le* Jovial *tient lieu de combat de libération* inanitaire. *J'ajoute : la subversion verbale remplace la vraie subversion mais ne l'appelle pas ! [...] Phonétiser tout, c'est faire comme si le lecteur n'était pas conscient de l'arbitraire de l'orthographe d'une langue et des langues en général. C'est faire comme si cela se passait entre analphabètes.*

Puis leur polémique fut interrompue. Le grand moment survint. La tête de l'enfant pointa à l'entrée du vagin. Tous aperçurent son visage empreint du *malocchio* qui scrutait le monde extérieur. Mais, à la dernière seconde, le fœtus pivota sur lui-même et rebroussa chemin. La remontée de l'abomination provoqua des douleurs terribles à la Thérapeute. Ils comprirent que le fœtus avait percé l'enveloppe utérine pour se promener à travers les viscères de sa mère. L'atmosphère les sidéra. Ils eurent l'impression d'être catapultés dans l'univers d'*Eraser Head*. « On sauve la mère ou l'enfant ? » lui demanda l'aliéniste en chef. Incapable de trancher, l'Homme Perchaude tomba encore une fois dans un profond coma.

Pendant tout ce temps où l'Homme Perchaude prit congé de l'horreur, le Tatoueur, qui en avait vu d'autres, prit les choses en main. « Fist fuckant » la Thérapeute à lui en percer le duodénum, il parvint finalement à rattraper le fœtus errant et à le ressortir par la voie anale. Assis entre les jambes de sa mère agonisante et se nettoyant du plasma et des excréments couvrant son corps, l'abomination rit d'un rire macabre qui n'avait rien d'enfantin. Puis, entrouvrant ses petites cuisses potelées, l'enfant mutant fit découvrir son hermaphrodisme aux témoins de l'accouchement, pour finalement les dévisager les uns après les autres de son mauvais œil, tout en prenant un malin plaisir à simuler une pendaison à l'aide du cordon ombilical enroulé autour de son cou.

Aucun des acolytes de l'Homme Perchaude ne put supporter le *malocchio* purement homomatopéen de l'enfant mutant. En bon Louis Joseph qu'ils étaient tous, ils désertèrent l'asile, non sans avoir auparavant baptisé l'abomination du nom de Homard, l'enfant martyr, en mémoire de sa mère tenue artificiellement en vie depuis l'accouchement maudit. Le champ maintenant à moitié libre, les agents de la PAPA vinrent rendre visite à Homard et sa mère, entourés de schizophrènes dyslexiques. Incapables à leur tour de soutenir le *malocchio* du nouveau-né, ces premiers désertèrent l'asile, juste après avoir introduit en douce dans le nombril de Homard une puce à ondes courtes et fait une lobotomie éclair à la Thérapeute. Les agents de la PAPA n'avaient pas osé enlever la mère et l'enfant, menacés qu'ils étaient par le nombre impressionnant de schizophrènes dyslexiques qui étaient affublés, à l'instar de Homard, du mauvais œil. Ils partirent donc, confiants de pouvoir retracer Homard, quand le besoin s'en ferait sentir.

La fuite de l'Homme Perchaude et de ses fantômes n'avait pas été sans conséquences néfastes sur l'humeur de Homard. Tout au long de son enfance à l'Hôtel-Pieux, il fut en crise permanente, ne pouvant se faire à l'idée de la fuite des siens. Bien qu'il appréciât ce que les autres schizophrènes dyslexiques faisaient pour son bien-être, il n'arriva pas à leur instar à délirer sereinement sur les événements entourant sa naissance. La fuite désespérante de l'Homme Perchaude et de sa garde suicidaire ainsi que le sacrifice de sa mère artifice, tout cela lui puait au nez. Que pouvait-il devenir, lui l'enfant mutant au *malocchio*, ni libre ni indépendant et sans parents ? Sinon un sale parasite, une espèce de ver de terre bisexué, un sale charognard jeté à la face de son peuple et se gavant à même celui-ci. Le seul espoir qui lui restait, afin d'éviter cette déviation de la mutation, fut de se laisser aller à une longue et intense logorrhée thérapeutique comme seul son père et ses fantômes en avaient le secret. Le journal intime que Homard tint de 2015 à 2029 était la preuve irréfutable que l'enfant martyr détenait le secret de ses aïeux. En voici quelques extraits.

Bébec, Hôtel-Pieux du Sacré-Pleur de Rhésus, 30 octobre de l'an 2016,

> *« Nous ne serons pas vieux*
> *mais déjà las de vivre ! »*
> *(Nelligan)*

Ma parole est le verbe indéfiniment retrouvé d'un orphelin qui attend, dans le vide poétique, l'occasion de reprendre la mutation. Je vous parle d'une parole intensément improvisée et, pendant tout ce temps que je passe à me verbaliser, j'éloigne la lucidité homicide. Mon pays est un immense cercueil climatisé dont les cadavres, fati-

qués par attitude plus que par le résultat d'efforts cumu-
latifs, bénissent le suicide plutôt que la survie des indécis.

En s'entêtant à provoquer la mutation, Homard cherchait la mort pour ne pas abdiquer. Son exil prolongé parmi
les schizophrènes dyslexiques à l'asile fut un suicide social le
menant progressivement au suicide organique.

*Bébec, Hôtel-Pieux du Sacré-Pleur de Rhésus, 30
octobre de l'an 2018,*

*Mutant radical d'un peuple d'indécis, mon père a fait
de moi l'hostie fracturée de la rébellion des troufions, le
reflet désorganisé de leurs destins suicidaires. Depuis ma
naissance, je recherche le beau sodomicide. En moi, déprimé
exalté, tout un peuple s'écrase héroïquement ; il rappelle
son enfance volée, par éclats de mots hachurés, de délires
graphiques. Et sous l'aveuglante lumière de la conscience
délirante, ce peuple se met soudain à hurler devant l'énor-
mité de la catastrophe et de l'importance quasi divine du
sodominateur. Après si peu de temps, je n'ai plus la force
d'aller au-delà de l'abominable mutation que je représente.*

On n'avait jamais dit à Homard qu'en naissant mutant
il serait projeté ainsi dans la détresse et qu'à force de vouloir
la liberté il se retrouverait enfermé au Cœur du Sacré à téter
le penthotal de sa mère artificielle. L'enfant martyr n'accepta
jamais que ce qui se préparait à une certaine Saint-Jean-
Papiste ne se réalise pas.

*Bébec, Hôtel-Pieux du Sacré-Pleur de Rhésus, 30
octobre de l'an 2025,*

*Un serment secret me lie indiscutablement à la muta-
tion. Ce que mon père et ses ancêtres ont commencé sans*

jamais avoir pu ou voulu l'achever, je le finirai. Je serai jusqu'à la fin l'être que j'ai commencé d'être en toi, mère morte.

Homard eut beau s'éloigner du traumatisme originel, sa naissance païenne n'en continua pas moins à orienter son cheminement et à prédigérer les paroles qu'il croyait inventer spontanément. L'esprit de son père et de ses acolytes le guidait au-delà du sodomicide, vers une dynamique aquatique alternant les noyades et les remontées. Il parvint un jour à revivre sa naissance déréalisante et souhaita qu'elle devienne une nouvelle Saint-Jean-Papiste propre à effacer la dernière fuite de ses congénères et ainsi mettre fin à leur échec prolongé. Pour ce faire, il rêva de remplacer les batailles inanitaires par la rébellion des troufions.

Bébec, Hôtel-Pieux du Sacré-Pleur de Rhésus, 30 octobre de l'an 2027,

Après deux siècles de zombification, je dois faire éclater la rage refoulée et libérer l'onde de choc paralysée. Mais, avant tout, je dois exorciser le désir paternel d'être sodominé pour remonter jusqu'en amont du Pauvrelieu. Je dois délaisser cet amour du remords, cette manie que j'ai de me scarifier au nom de l'inatteignable et de m'accabler du poids de l'irréversible. Je ne dois plus prendre plaisir à contempler mes ruines.

La grande angoisse de Homard était celle de l'origine : il voulait la toucher, l'éclater, l'exorciser ! L'exil temporaire à l'intérieur de cet asile fut ce qui lui en donna l'occasion. Cet exil était l'acte schizophrénique par excellence, il correspondait en fait à une distanciation schizoïde de sa réalité incertaine. Seule la coupure violente et brutale avec ses nounous schizophrènes et dyslexiques lui permit de guérir, de mettre fin à sa schizophrénie, d'accepter le retour au réel qui lui avait toujours été pénible.

Bébec, Hôtel-Dieux du Sacré-Pleur de Rhésus, 30 octobre de l'an 2029,

Je ne m'accomplirai que dans la catastrophe ! Je ne survivrai qu'en m'opposant au misérabilisme ambiant. Pour l'instant, je pense au sodomicide chaque minute. Même si je le vois lointain, il reste que j'ai l'esprit fixé sur cette sortie d'urgence. J'imagine ce grand trou noir, je m'y projette avec désespoir et flamboyance. La période que je traverse, depuis des années, me donne une expérience existentielle du néant. Tous les jours, je me lève anéanti. J'ai une connaissance quotidienne du nihilisme. Je feins parfois de l'ignorer, je joue.

En fait, Homard imitait les schizophrènes dyslexiques pour se donner et leur donner l'impression de vivre. En réalité, la mort lui traversait le corps de bord en bord. À peine né, il était déjà fatigué. C'est pourquoi il fut si longtemps locataire de cette chambre capitonnée. Il s'était souvent demandé s'il y était demeuré pour renaître ou pour mourir. Durant toutes ces années passées avec eux, il vécut sous l'effet exaltant de la cocaïne, puis dormit sous l'effet apaisant de l'héroïne. Il voyageait comme un tremblement, une convulsion à répétition, appréhendant le stade intolérable des spasmes et des sueurs qui préfigurent la nausée finale. Grâce au *malocchio* et à l'écriture obsessionnelle de son journal intime, il continua à harceler son pays, incertain en tout sauf dans la langue par laquelle on le décrit. Celui-ci était devenu son Irlande imaginaire, où la fleur du Lys avait remplacé le trèfle à trois feuilles. Le sodomicide était son obsession, sa seule passion. C'est lui qu'il retrouvait sur tous les plans, tant collectif qu'individuel, et, bien qu'il s'en défendît, il ne put se réaliser qu'à travers celui-ci. Homard ne pouvait s'accomplir que dans la beauté du sodomicide, la peur du quotidien, la fuite permanente, le report constant de son congé d'asile. Il a tout de même tenté une sortie le jour de ses 30 ans. Il a alors retrouvé la trace de son père au Pied-du-courant. Ils vécurent ensemble pendant presque onze mois. Mais le meurtre sacrilège fut inévitable. L'octobre suivant leurs retrouvailles, Homard lui laissa une lettre poignard.

Montrivial, McBanal coin Bobineau et mont Jovial, 30 octobre de l'an 2030

Cher Géniteur,

Après un exil interminable, un retour inexplicable et finalement un recul implacable, j'ai fini par reprendre mes esprits. Emporté par ma nature mutagène, j'ai commis le crime de lèse-majesté : ne pas penser ni calculer, seulement laisser agir le désir. Avec le temps qui passe, je réalise peu à peu l'incroyable débarque qu'on a prise. Impossible de retrouver l'innocence et la candeur que j'avais avec toi à mon retour d'asile. J'ai l'impression de revivre le jour de ma naissance, embourbé dans une fuite qui n'est pas la mienne, une paranoïa qui m'est étrangère, une relation schizophrénique que je croyais exorcisée. Si tu as mal digéré mon exil prolongé, je dois t'avouer que, de mon côté, je n'ai toujours pas digéré ta fuite post partum. J'ai passé de bons moments en ta compagnie, mais je n'ai pas la volonté de tout recommencer à zéro en devant reprendre confiance en toi. Je n'en ai ni l'envie ni l'énergie. À ce compte-là, je préfère aller voir ailleurs si la mutation est encore viable. Sans rancune mon père, j'ai seulement besoin de muter une dernière fois.

Le père se défend, l'épigone attaque.
Homard, votre enfant martyr

* * *

Le dernier pollen sortit du calice, vous en savez maintenant autant que moi, l'humble schizophrène dyslexique à qui l'Homme Perchaude a raconté un grand pan de cette histoire de mutation au cours de son internement à l'Hôtel-Pieux. Par la suite, les six pollens d'acide que l'Homme Perchaude m'a donnés après l'accouchement de la Thérapeute, de même que mes rapports privilégiés avec Homard à l'asile, m'ont permis d'activer ma mémoire et de vous emmener explorer plus avant l'univers mutagène du Lys. Depuis que Homard a définitivement renié son père, je n'ai pratiquement plus eu de nouvelles d'eux, sinon une brève lettre de Homard reçue il y a plus de cinq mois et se lisant comme suit :

Montrivial, la Calèche du Sexe, 20 mai de l'an 2034

À mon ange gardien,

J'ai le regret de t'informer que le 20 mai de l'an 2033, l'Homme Perchaude a été victime d'un infarctus mortel dans une des cabines privées de la Calèche du Sexe. Je soupçonne la PAPA d'être à l'origine de l'incident. La nuit de sa mort, mon père avait remis au doorman de la Calèche le court texte manuscrit qui suit : « Il faut tout nommer, tout écrire avant de tout faire sauter [...] mon pays reste et demeurera longtemps dans l'infra-littérature et dans la sous-histoire... c'est cette poignée de comédiens bègues et amnésiques qui se regardent et s'interrogent du regard et qui semblent hantés par la platitude comme Hamlet par le spectre... Chacun a son texte sur le bout de la langue, mais quand on met le pied sur scène où déjà se taisent les autres personnages de cette histoire inénarrable, vraiment on ne sait plus quoi dire... On n'éclate pas [...] Oui, tout un peuple, aurifié, avec gueule d'or sur fond blême, se tait à force de ne pas vouloir s'exprimer tout haut... Les plombs n'ont pas fini de sauter... Par l'action matricielle de la parole, l'action passe à l'action... le silence ne peut être conçu autrement que comme un intervalle entre deux cris. » Ce texte a vraisemblablement été écrit à l'attention de l'Homme Perchaude de la main de Cruise Away, le lendemain de leur fuite de l'Hôtel-Pieux.

Voilà, je t'ai écrit pour la dernière fois. L'heure est maintenant venue pour moi de passer de la parole aux actes. Tu dois comprendre qu'il vaut mieux, autant pour toi que pour moi, que tu n'aies plus de mes nouvelles. Car je viens de découvrir que la puce, introduite dans mon nombril à la naissance, a permis à la PAPA de filer les indéférentistes qui avaient récemment croisé mon chemin. Je suis devenu, bien involontairement, la tête chercheuse de la PAPA. Et par le fait même, je suis en grande partie responsable de la mort de mon père. Dorénavant, je n'existerai que par ta mémoire.

Bien à toi
Homard, ton fils adoptif

P.S. : Tu trouveras, ci-joint, le « célèbre » collet roulé de l'Homme Perchaude. Au moment de nos retrouvailles au Pied-du-courant, il m'avait fait promettre de te le remettre après sa mort.

Privé à jamais de mon fils adoptif et vêtu en permanence du collet roulé de son père biologique, probablement retracé et tué par la PAPA grâce à la puce à ondes courtes implantée dans le nombril de Homard à sa naissance, j'arpente les sombres couloirs sodominés de sa mémoire.

D'aussi loin que je me souvienne, j'ai toujours fantasmé le mutant à défaut de l'incarner intégralement. Et cela, malgré les anxiolytiques dont me nourrissaient les aliénistes. Ces derniers n'ont toujours cherché qu'une chose : la castration tragique du mutant en lui faisant porter tout l'odieux de leurs malaises paranoïaques, de peur qu'il ne les révèle à eux-mêmes. Pendant qu'ils s'évertuent à théoriser la cascade dionysiaque, le mutant l'exécute. Défiant leur morale de coupable, il retombe, imperturbable, sur ses pieds.

Si le corps du mutant incarne encore la morale judéochrétienne des aliénistes, son esprit, lui, s'en est émancipé depuis peu. En réaction à leur modestie de sodominé, le mutant a fait de la prétention sa vertu cardinale. Il prétend impérativement occuper tout l'espace disponible, ne laisser aucun complexe d'inanité restreindre son champ d'action. Le misérabilisme, cette anomalie de l'esprit que produisent les aliénistes et dans laquelle ils se complaisent depuis des siècles, lui est devenu étranger.

Déserteur de la Vallée des misérables, il ne supporte plus l'odeur de l'étable. Seul l'éclat du feu l'attire : la flamme ondulante est son amante. Bougeant de manière à être vu, parlant de façon à être entendu, il ne redoute plus le grotesque. Il sait que pour atteindre au sublime, il doit assimiler tous les extrêmes au risque de se couvrir de ridicule. La parole parabolique, il subvertit l'ouïe du conquis. Filant la métaphore, il éclate le remords vital d'aurores boréales.

Court-circuitant l'ennui, il joue un rôle qui ne lui était pas destiné à l'origine, celui de jeune premier. Attendu côté cour, il apparaît côté jardin. Le texte qu'il y déclame n'est pas écrit. Il improvise au fur et à mesure avec l'instinct du séducteur. La prétention en bandoulière, il explose l'implosion, fragmente le destin des siens, en exprimant tout haut la parole refoulée des sodominés. Le rideau baissé, il comble de son écriture baroque l'intervalle silencieux. Le mutant n'a pas la tâche facile : il demande à un public qui a résisté plus d'une fois à la tentation du Lys de se laisser tenter une fois de plus. En définitive, si le mutant réussit son pari, c'est qu'il aura su convaincre ses détracteurs de l'impossibilité de tomber plus bas qu'ils ne le sont déjà.

Mon rêve a toujours été d'aller rejoindre le mutant et de mourir avec lui dans un gigantesque feu de la Saint-Jean. En attendant de réaliser ce rêve, je me complais dans la nécrophilie. Je baise tous les soirs la dépouille cryogénisée de la Thérapeute. Elle est ce qui me relie à mes amis mutants. En souillant de ma semence son corps éternellement frigide, j'ai l'impression de rejouer le matricide accompli en rêve par l'Homme Perchaude, au cours de sa baignade suicide au lac du Grand Remords.

Le grotesque, ce vacillement constant entre le ridicule et le sublime, a été mon arme de prédilection, ce par quoi j'ai transformé le présent récit en une tige de métal venant vous chatouiller l'épine dorsale. Je n'ai écrit qu'à travers les diverses écritures du Grand Livre. Car je ne peux que « décontextualiser » ce qui m'a précédé. Je ne suis qu'une caisse de résonance, une vibration faisant revivre sous un autre mode la parole de nos ancêtres mutants. Le trop-plein de mon écriture visait paradoxalement à vous rappeler le manque. Le désir de reconnaissance dont nous souffrons, mes aïeux et moi, depuis notre arrivée en cette contrée maintes fois sodominée, n'est qu'une figure parmi tant d'autres de ce manque, un manque qui nous individualise dans la démence mais nous « solidarise » dans l'errance. À la fois individuelle et collective, mon écriture, bien que thérapeutique, ne pouvait éviter le parcours allant de la névrose à la psychose. Pouvais-je réellement éviter cet aller-retour en situation d'internement psychiatrique ?

Je dois continuer de délirer avec passion notre survivance, aller aussi loin que possible dans le verbe des bâtards. Je suis né dans l'exil intérieur, la parole m'a mis au monde et devant la parole je me suis déchiré. Muet, je vais vers un pays qui m'ignore. La page blanche était la tempête à travers laquelle j'ai tenté de donner un peu de sens à l'absurdité quotidienne du citoyen incertain. L'an 2034 s'achève. Je suis

seul et l'écris avec d'autres. Peut-être vous ai-je déliré toute
cette histoire de sodomutation pour rien. Demain je nierai
tout et continuerai à m'activer comme si de rien n'était. Qui
s'en rendra compte ? Comment dire aux miens que mon
âme est tissée de chair nécrosée ? Suis-je un schizophrène
dyslexique dépositaire de la mémoire mutagène ou un révé-
lateur anémique de la sodomutation délirante ? À vous de
choisir. En revanche, une chose est sûre : j'existe encore, et
cela malgré ma dernière injection. Ma nouvelle résolution ?
Davantage de vie, ne négliger aucun symptôme d'intensité,
faire renaître les pulsions dionysiaques délaissées par
l'Homme Perchaude vieillissant et reprises par Homard,
l'enfant martyr au mauvais œil. Car je ne peux m'accomplir
que dans la catastrophe. Homard et moi sommes la dernière
tentation du Lys, la flamme qui tisse, la dernière mutation
avant votre disparition.

Achevé d'imprimer en août 1999
Marc Veilleux imprimeur